De grote wereld

Dit Boekenweekgeschenk wordt u aangeboden
door uw boekverkoper.

Arthur Japin

De grote wereld

EEN UITGAVE VAN
DE STICHTING CPNB
TER GELEGENHEID VAN DE
BOEKENWEEK 2006

Stichting Collectieve
Propaganda van het
Nederlandse Boek

voor Lex
een geschenk

Haben wirklich Platz genommen,
Wissen nicht, wie es geschah
Fraget nicht, woher wir kommen,
Denn wir sind nun einmal da!
Zwerg und Zwergin, rasch zum Fleiße,
Musterhaft ein jedes Paar
Weiß nicht, ob es gleicherweise
Schon im Paradiese war.
Johann Wolfgang von Goethe

To all who come to this happy place: welcome!
Walt Disney

Et voilà glimlach
Paul van Ostaijen

Iedereen is klein geweest. Denk aan vroeger, toen u zelf naar iedereen moest opzien. Iemand heeft u opgetild om u in de ogen te kunnen kijken. Iemand heeft u neergezet en u laten reiken naar iets wat u graag wilde hebben, zomaar wat lekkers of een cadeautje dat hij voor het uit handen te geven net boven uw macht hield, heel even maar, grappig en onschuldig. Zulke dingen kan elk mens begrijpen. Honderd vlugge stappen moeten zetten om iemand bij te houden die er voor datzelfde eind op zijn gemak maar vijftig nodig heeft; luider spreken om door grote mensen gehoord te worden, u hebt dat allemaal moeten doen. Ook u hebt op een hoge stoel moeten klimmen om bij de tafel te kunnen komen en u hebt u daaronder kunnen verbergen tussen een woud van benen. Misschien herinnert u het zich niet. U hebt het niet onthouden omdat het van voorbijgaande aard was. Het was voor u van geen belang omdat u zeker wist dat u op een dag de achterstand zou inhalen en met grote passen met de anderen gelijk op zou gaan. Maar het gaat erom dat u dit allemaal hebt ervaren. U weet wat het is. Daar hoeven we verder dus geen woorden aan te verspillen.

De wereld van Lemmy is groter dan die van u, dat is alles. Er is geen reden om zijn verhaal langer te maken dan hemzelf. Laat het beginnen met de woorden waarmee zijn vader ieder optreden begon: 'Dames en heren, jongens en meisjes, ik zal kort zijn. Wat kan ik anders?'

I

Het is een arts die de stad komt opdoeken. Ineens staat hij daar, midden op het marktplein. Twee assistenten heeft hij bij zich. Een gluurt door het bovenlicht van het stadhuis, de ander hurkt voor Lemmy's raam om te zien of er iemand thuis is. Die verplegersjassen zijn een klap in zijn gezicht. Alle uniformen had Lemmy verwacht, maar witte niet.

De inwoners wisten dat hun woonplaats zou worden opgeheven. Dat was al wekenlang bekend. En dan hebben ze het nóg lang uitgezongen. Er is bijna een jaar verstreken sinds zij gedegenereerd werden verklaard, vier maanden sinds het bericht kwam dat hun vertoning voortaan ongewenst was, drieëntwintig dagen nadat ze bevel hadden gekregen hun woningen op te breken. Ze hebben het niet gedaan. Hoe sluit je de stad waarin je woont? Alle bewoners hebben zich verzameld. Ze besloten in hun huizen te blijven maar geen toeschouwers meer te ontvangen en geen entree meer te heffen. Ze hebben de kassa weggehaald, de souvenirwinkel ontmanteld en het pannenkoekenrestaurant opgedoekt. Daarmee vervielen hun inkomsten, maar ze legden met alle gezinnen hun spaargeld bijeen en berekenden dat ze het daarvan toch minstens een halfjaar zouden kunnen uitzingen. Hun onafhankelijkheid moest de nazipartij het argument ontnemen dat zij enkel *nutteloze monden* zouden zijn. Dit betekende het einde van hun leven als bezienswaardigheid. Ze maakten geen reclame meer. Alle affiches die al waren verspreid hebben ze teruggehaald en met de rest van de voorraad verbrand. Het was hun alleen verboden als kermisattractie rond te trekken. Zonder betalende bezoekers kon niemand hen daarvan betichten. Zonder publiek was hun stad er een als alle andere. Toegegeven, hun huizen waren een stuk kleiner. Ze konden ze uit elkaar halen, op een wagen laden en weer opbouwen waar ze wilden, maar verder was het een echte stad, met stadsrechten en al, een eigen burgemeester, een beëdigd rechter, een gemeenteraad, een postkantoor met eigen poststempel. Winkels en huizen net als overal. Dwergen moeten tenslotte ook ergens wonen. Door zich stil te houden en niet op te vallen hebben ze het nog een tijdje kunnen rekken, maar onvermijdelijk kwam het ultimatum. Die nacht hield Lemmy Rosa in zijn armen alsof iemand haar van hem los zou komen rukken. Hij dacht aan de *Schutzstaffel*, aan de *Wehrmacht*, hij wist niet waar hij allemaal bang voor was, dat de politie hen uit huis zou komen zetten, een legermacht misschien.

Een arts. En twee verplegers. Zo klein als ze zijn zouden ze die met vereende krachten makkelijk van hun terrein af kunnen jagen, maar de aanblik van de witte jassen heeft de inwoners uit het veld geslagen. Lemmy heeft zich zulke zorgen gemaakt om Rosa's veiligheid en toch voelt hij geen enkele opluchting nu alles zonder geweld wordt opgelost. Integendeel. Getrokken wapenstokken zouden hem minder raken. Hoe zijn bestaan de nieuwe orde ook schoffeert, zelfs nu zij hem wil bestrijden, weigert zij hem dus voor vol aan te zien.

Om de beurt worden de inwoners naast een meetlat gezet en gefotografeerd. Van sommigen wordt ook de schedel opgemeten en de ruggengraat onderzocht, waarna ze een aantal vragen moeten beantwoorden over hun ouders.

'Waar is dat goed voor?'

'Onderzoek.'

'Maar ik doe helemaal geen onderzoek,' antwoordt Lemmy. De arts lacht. Hij leest zijn gegevens door en geeft hem een kaartje van de universiteit met het adres van zijn instituut.

'Er is altijd een tekort aan vrijwilligers.'

Ze krijgen een kwartier om thuis wat spullen te pakken. Als ze met hun koffer naar buiten komen staan de boeren uit de omgeving al klaar met ronkende tractoren. Op een teken komen die in beweging en rijden in slagorde op de woningen in. De meeste zijn uit hout en tentdoek opgetrokken en worden direct geplet. Krakende latten. Scheurend zeil. Over enkele grotere constructies zoals het raadhuis, de schouwburg, de manege, die door ijzer werden ondersteund, moet een paar maal heen en weer worden gereden. Vonkend staal en stuivend zaagsel. Het knappen van kabels. Façades splijten open en worden onder de hoge wielen vermalen. Binnen een kwartier is het bekeken. De boeren keren terug naar hun land. De witte jassen stappen in hun auto. Uit het puin steekt nog wat huisraad. Hier en daar de rookpluim van een omgevallen kachel. De stadsgenoten, die in groepjes naar het spektakel stonden te kijken, wenden zich af. Sommigen nemen omstandig afscheid, anderen pakken verdoofd door het geweld hun koffer op en beginnen maar gewoon te lopen. Rosa staat erop tussen de ravage te zoeken naar spullen die ze nog kan gebruiken. Zij hecht vooral aan de berkenhouten stoel die haar vader op haar maat gemaakt heeft, maar helaas. Splinters, scherven knarpen onder hun voeten. Flarden stof warrelen op de wind. Lemmy slaat een arm om haar heen om haar zo snel mogelijk van die plek weg te krijgen, maar steeds ontdekt ze weer een kommetje dat het overleefd heeft en een spiegeltje dat ze wil redden, de kaft van een leesboek, totdat ze haar armen te vol heeft om nog eens te bukken. Naast de resten van de manege vinden ze de dwergpony's die zij als paarden hielden, stuk voor stuk publiekslievelingen, zeker op feestdagen wanneer ze met pluimen getooid een vergulde koets door de stad trokken. Ze zijn met enkele gerichte schoten afgemaakt. Het was eenvoudiger geweest ze los te laten, profijtelijk ze aan de boeren te verkopen, maar iemand heeft de moeite willen nemen zijn revolver te laden en ze om te leggen.

'Zou je geen medelijden krijgen met alles wat normaal is?' verzucht Rosa. Zij wendt haar gezicht af en drukt zich tegen Lemmy aan. 'Je zo bedreigd te moeten voelen door alles wat een beetje afwijkt!'

Zwijgend zoeken ze hun weg uit de brokstukken en verlaten het terrein aan de kant waar altijd de entree stond. De toegangspoort ligt plat. De lichtreclame die zoveel bezoekers welkom heeft geheten, is ingestort. De letters liggen dwars over het pad: MÄRCHENSTADT LILLIPUT. Ze klauteren eroverheen, waarbij Lemmy zijn been openhaalt aan een kapotte gloeilamp.

Diezelfde avond vinden ze pension bij Frau Moncau. De gebruikelijke verbazing, happen naar lucht en met open mond vergeten uit te ademen, duurt bij haar maar kort. Zij heeft als klein meisje in Berlijn hun attractie eens bezocht, of anders een die erop leek, want in die tijd trokken talloze dwergdorpen door Europa, en zodra ze de kleine man en de kleine vrouw op haar stoep ziet staan keert haar kinderlijke enthousiasme terug. Op de vraag of zij een kamer vrij heeft, klapt ze kirrend in haar handen, alsof het een extra verrassing is dat de levende poppen die ze cadeau krijgt nog kunnen praten ook! Het volgende moment, als ze bedenkt dat te veel enthousiasme misschien pijn doet, buigt ze voor haar gasten alsof die van adel zijn. Ze schudt ze krachtig de hand ten teken dat ze hen niet omzichtiger wil aanpakken dan een huzaar van twee meter en verklaart plechtig dat het haar een eer zou zijn hen onder te brengen.

'Ik weet niet...' probeert Lemmy nog, maar Rosa is erg moe en voor hij kan protesteren is de vrouw met hun koffers al halverwege de trap. Met schallende stem beweert zij dat haar ziel aan hen verwant is. Best mogelijk, maar haar verstand lijkt te zijn achtergebleven in een van de cabarets waar zij beweert te hebben opgetreden. Als dat waar is moet het een hele tijd geleden zijn geweest. In elk geval levert het Lemmy en Rosa de beste kamer van het huis op, met een erker, een eigen wasgelegenheid en een bed zo gigantisch dat je een routebeschrijving nodig hebt om bij elkaar uit te komen. Ze liggen nog niet of Frau Moncau klopt aan om een karaf water te brengen. Als zij die twee koppies op het grote kussen ziet kan ze het niet laten hen in te stoppen. Lemmy kruipt zo dicht tegen Rosa aan als hij kan. Hierna durft hij zich niet meer om te draaien en al helemaal niet weg te dromen, alsof hij bang is dat zij als hij eventjes niet oplet, zoek zal raken.

Tot nog toe is het hem altijd gelukt de wereld tot zijn proporties te beperken. Hij is geboren tussen kleine mensen in een kunstmatige stad, gebouwd op hun maat, en op een korte onderbreking na heeft hij in miniatuurdorpen gewoond waar ook iedereen en alles op zijn schaal was. Zij ontvingen daar wel bezoek van grote mensen, toeschouwers, werklui, leveranciers, maar altijd waren dat degenen die niet pasten. Hieraan is nu een eind gekomen. De rollen zijn voorgoed omgedraaid. Zijn wereld bestaat niet meer. Vanaf nu leeft hij in die van hen en is híj het die er vreemd is.

De eerste uren ligt hij verlamd van angst. Ze zijn uit hun paradijs verdreven en hij kan zich niet voorstellen hoe zij buiten hun enclave in de werkelijkheid zouden kunnen overleven. Rosa is het laatste wat hem van dat leven rest. Koortsig klampt hij zich aan haar vast.

Tussen alle jachtige gedachten schiet hem te binnen hoe zijn moeder hem toen hij eenmaal zijn volle lengte had bereikt, een keer op schoot nam om uit te leggen dat God de wereld in verschillende lagen heeft geschapen en dat het leven zich afspeelt op meerdere niveaus tegelijk.

'Het onze,' vertelde ze, 'is het meest exclusieve. Wij zijn met zo weinig omdat niet iedereen bijzonder genoeg is om hier beneden te worden toegelaten. Die selectie is heel streng. Wat zich onderop bevindt, vormt nu eenmaal de basis voor alles daarboven. Alles komt dus op onze schouders neer. Daarom moeten wij sterk zijn.'

Lemmy mocht zich op die bevoorrechte positie niet laten voorstaan, daar lette zijn moeder erg op. Integendeel, zij vond dat hij het aan zijn uitzonderlijke status verplicht was altijd de moeite op te brengen om gesprekken te volgen die daarboven werden gevoerd en dat hij altijd beleefd naar grote mensen hoorde op te zien, ook als hij er nekkramp van kreeg of gewoon een keer geen zin had om in gapende neusgaten te kijken.

De waarheid zo te verdraaien, daar had zijn moeder een handje van. Vaak had hij zich eraan geërgerd dat ze rond ieder verdriet een sprookje wist op te bouwen, maar nu voor het eerst, midden in de nacht, denkt hij: geef mij zulke moed!

11

Zo ligt Lemmy te malen en ineens – wie weet slaapt hij, maar hij zou zweren dat hij wakker was – ziet hij hoe het leven zijn vizier opent. Minutenlang kan hij het recht aankijken en in één oogopslag ziet hij wat voor gevaar het nog in petto heeft. Het wil hem bang maken, maar hij voelt zich vooral uitgedaagd. Het idee van de strijd die hem wacht windt hem op als een verliefdheid die zijn lijf doorzindert, een passie niet voor iets of iemand anders, maar enkel om het leven zelf dat daar voor hem staat, zo naakt. Even is er geen hoop meer, maar ook geen twijfel, alleen de drang om dat leven in handen te nemen, om erin binnen te gaan.

Rosa kreunt, ze draait zich om en slaapt verder. Hij schaamt zich bijna, uitgelaten als hij is, alsof hij haar met zijn levenslust verraadt. Hij draait met haar mee en voegt zich naar haar vorm.

'Ach kind,' hoort hij voor hij inslaapt zijn moeder nog verzuchten, 'er zijn zo veel perspectieven vanwaaruit een mens de dingen kan bekijken!'

2

Aanvankelijk dacht Lemmy dat hij groot was. De mensen die op kraamvisite kwamen hadden het nergens anders over! 'Wat is hij groot!' Zodra ze hem zagen vielen hun monden open. 'Ja hoor, deze is echt groot! O Mary,' jubelden ze tegen zijn moeder, 'wie had dat kunnen denken? Wat een geluk! Wat een zegen voor je, zo'n kanjer van een kind!' Zijn uitzonderlijke omvang was het enige wat hen interesseerde. De eerste jaren van zijn leven leek er geen ander onderwerp van gesprek. Hij wist niet beter of hij was enorm. Zijn ouders en hun vrienden moesten op de theetafel klimmen om in zijn wieg te kunnen kijken. Hoe kon hij weten dat zij wanneer ze zich over zijn lengte verbaasden, eigenlijk bedoelden dat die gelijk was aan die van vrijwel alle baby's en dat het hen alleen verraste omdat zijn vader en zijn moeder, net als zijzelf, dwergen waren? Lemuel werd hij gedoopt, omdat zijn ouders dachten dat er eindelijk een Gulliver was aangespoeld.

'Dat kind wordt nog eens zo lang als zijn grootmoeder!' verzuchtten ze en ze vlijden zich tevreden tegen elkaar. Lemmy probeerde zich die vrouw voor te stellen. Zij was kleermaakster en niet rijk, dus ze kon hen op verjaardagen niet zomaar opzoeken, legde zijn moeder uit, maar dat wilde niet zeggen dat zijn grootmoeder niet regelmatig aan hem dacht. Op een dag, beloofde ze, zou hij haar zeker zien. Hij rilde. God mocht weten hoe groot zo'n moeder wel niet was.

Toen hij tussen zijn ouders in zijn eerste passen zette leek het alsof hij werd ondersteund door kinderen die even oud waren. Dit deed hun geen verdriet. Integendeel. Zij lieten hiervan zelfs een foto maken, die ze vol trots rond lieten gaan door hun kleine gemeenschap. Voor hen was Lemmy's groei een wapenfeit. Hun verwachtingen waren hooggespannen. Als er bij etentjes of feesten wat gedronken was, stond er altijd wel iemand op die voorspelde dat het kind met zijn hoofd nog eens in de kruinen van de bomen zou verdwijnen, en op Lemmy's vierde verjaardag begon Tiny MacFarland, de plaatselijke brandweercommandant, een weddenschap. Eerst zetten alleen zijn eigen mannen geld in, maar zodra dit buiten de kazerne bekend werd wilden alle inwoners gokken welke lengte Lemmy uiteindelijk zou bereiken. Daaraan heeft MacFarland een klein fortuin overgehouden, want dít had geen mens verwacht.

Zodra hij kon lopen begon Lemmy zijn wereld in zijn eentje te verkennen. Gevaren waren er niet. Op een paar fietsen en karren na reed er geen verkeer. Wel was er een halte voor een tram, maar als de jongen op straat was reed die nooit. Deze vrijheid werd hem namelijk alleen op bepaalde tijden toegestaan. De winkels en de restaurantjes op het marktplein vond hij altijd gesloten, maar hij kon door het park wandelen of op het strand spelen, en als er in het theater repetities waren voor een nieuwe show zat Lemmy op de galerij of in de loges. Deze onbezorgdheid duurde tot de dag waarop hij ontdekte dat zijn wereld eindig was.

Dit gebeurde in het raadhuis, een monumentaal gebouw aan het eind van de hoofdstraat, waarin de stadsraad zitting hield. Op gezette tijden gingen alle wethouders daar naar binnen, gekleed in glimmend zwarte pakken met leren aktetassen onder hun arm, voor een vergadering met de burgemeester. Lemmy's vader was een van hen. Elke ochtend perste zijn moeder vol liefde het pak van haar man en als hij thuiskwam wreef ze met haar mouw zijn tas op tot die weer glom.

Op een dag vond Lemmy de poort van het raadhuis open. Er was geen mens. Hij was benieuwd. Hij ging naar binnen en stootte op een hoge blinde muur. Het raadhuis bleek niet meer dan een façade. Het hout was aan de achterkant niet eens geverfd. Daar hield alles op.

Zetstukken gestut door latten, uit veel meer bestond zijn wereld niet. Kruipend onder vlonders, zich wringend achter planken, ontdekte Lemmy de keerzijde van het bordkarton. De omgeving waarin hij opgroeide bleek namaak. Hij leefde in een decor waarin hij steeds meer gaten ontdekte. Zo kon hij achter de muur van de manege auto's horen rijden. De bergen die hij in de verte zag waren op een doek geschilderd. Daarboven zat een raam waar schijnsel van elektrisch licht doorheen viel. Hij peuterde een roestplek open in de schutting waarmee het strand was afgebakend en zag daarachter een volgend strand liggen waarop alles en iedereen reusachtig was. Zodra hij op dit fenomeen gespitst was begonnen hem steeds meer dingen op te vallen, alsof de werkelijkheid probeerde door de muren heen te breken. Daarbij wou Lemmy graag een handje helpen, want zoals ieder kind hunkerde hij naar iets anders dan het alledaagse.

Het appartement van zijn ouders was aan de rand van hun wereld tegen de grote stenen van de stadsmuur aan gebouwd. Klokslag drie moest Lemmy altijd binnen zijn. Dan sloot zijn moeder alle ramen en deuren, las hem voor en gaf hem les, kookte voor hem en bracht hem naar bed. Als zijn vader naar zijn werk ging en hij met hem mee wilde of hem achterna probeerde te gaan raakte zijn moeder overstuur en hield hem tegen, wat Lemmy natuurlijk nog vastberadener maakte.

Op een middag verstopte hij zich in de eerstehulpkist van de badmeester. Daar moet hij in slaap gevallen zijn, want toen hij uiteindelijk tevoorschijn kwam was het al bijna donker. Het eerste wat hij zag waren grote mensen. Honderden. Overal liepen ze. Ze stroomden binnen door de stadspoort, waarvan de hoge houten deuren, die normaal gesloten en vergrendeld waren, wijd openstonden. Lemmy had er wel eens eerder een gezien. Die kwam bij hen thuis toen hun wastafel gerepareerd moest worden. 'En denk erom, niet staren!' had zijn moeder tevoren gewaarschuwd. 'Dat iemand er ongewoon uitziet wil niet zeggen dat hij geen gevoel heeft. Lach niet, geen mens kiest zijn eigen uiterlijk. Zie je iemand die anders is dan jij, doe dan wat ik doe: dank God dat Hij zo verstandig is geweest alle mensen verschillend te maken.' Maar toen dat enorme lijf zich onder hun gootsteen probeerde te wringen had Lemmy zijn ogen uitgekeken. Later had hij nog eens twee grote mannen gezien, kort nadat een van de buurvrouwen ineens onwel was geworden. Zij droegen lange witte jassen. Met één hand tilden ze de zieke op en ze legden haar op een enorme brancard waarop de vrouw toen ze haar in draf afvoerden, als een bal in een netje heen en weer stuiterde. Hij vond dit wel gek, zulke lange mensen, maar verontrust had het hem niet, omdat ze altijd opdoken om te helpen.

Dit keer niet. Ze waren overal, mensen wel drie, vier keer zo groot als hijzelf. Het leek of ze de stad hadden ingenomen. Maar waarom zouden ze? Ze moesten bukken om in de winkels te kunnen. Ze moesten knielen om een bestelling te plaatsen. Op de boulevard zaten ze gehurkt aan de tafels en dubbelgevouwen reden ze rond in de tram, die nu luid rinkelend om de hoek kwam en een rondje over het marktplein maakte. Dit ongemak leek de grote mensen niets te kunnen schelen. Ze lachten er juist om en zwierden elkaar in de rondte van plezier. Ze waren feestelijk gekleed en aten zuurstokken. Ze hadden hun kinderen meegebracht en lieten die op de paarden, die voor henzelf veel te klein waren, over het strand rijden.

'Mam,' riep een jongen, 'wat moet deze voorstellen?' Hij nam een hap uit zijn suikerspin en wees op Lemmy. 'Hij staat hier wel, maar hij doet helemaal niks. Of is dat er geen?'

'Niet in mijn buurt!' begon zijn zusje te gillen. 'Ik vind ze eng!'

Zijn vader boog zich naar Lemmy toe om hem van dichtbij te bestuderen.

'Doe eens wat.' Hij tilde hem op en rammelde hem heen en weer zoals je doet met opwindspeelgoed waarvan de veer kapot is. 'Vooruit! Ik heb goed geld betaald, of hou je hier vakantie?'

'Laat gaan, George,' riep zijn vrouw. 'Dat is gewoon een kind, dat zie je toch. Niks bijzonders. Die hoort er helemaal niet bij.' En van het ene op het andere moment verloor het gezin iedere interesse en keerde zich van Lemmy af op zoek naar iets leukers. Deze confrontatie duurde amper een minuut, maar nog kan hij 's nachts wakker schrikken met datzelfde gevoel dat hij tekortgeschoten is, zonder te weten waarin; met dat verlangen om iets te doen – god mag weten wat –, álles wel te willen doen om maar niet zo teleur te stellen. Maar hoe Lemmy zijn gedachten ook pijnigt, hij kan nog altijd niets bedenken.

Tussen de indringers zag hij overal bekenden lopen, buren en vrienden van zijn ouders. Zij spraken met de reuzen alsof dit heel normaal was, wezen ze de weg en leidden ze rond. De winkeliers verkochten volop aan de vreemden, en in de muziektent speelde de fanfare zodat de nieuwkomers met hun lange benen op het grasveld konden dansen. Ondertussen ging het gewone leven door, de postbode bezorgde zijn post, de melkboer wrong zich door de massa om zijn ronde te doen. Het brandalarm ging en de brandweer rukte uit. Tot ieders hilariteit reed hun rode wagen luid bellend door de menigte. Toen die uiteenweek zag Lemmy de wethouders op weg naar het stadhuis. Zij droegen hun nette pakken, zoals altijd. Ieder had zijn aktetas onder de arm. Zij hadden zich in orde van grootte opgesteld en liepen als soldaatjes in het gelid, de grootste voorop, de kleinste achteraan. Lemmy's vader was de derde van achteren. Om de zoveel meter hield de voorste man zonder waarschuwing halt, waarna de rest van de rij tegen hem op botste. Ze rolden over de grond, tot groot vermaak van de omstanders. Ze kropen over elkaar heen, krabbelden overeind, stoften hun pakken af, raapten hun tassen op en sloten weer aan. Dan liepen ze verder tot het hele tafereel zich een paar meter verderop herhaalde. Lemmy was bang dat zijn vader zich bezeerde, maar daarover maakte verder niemand zich zorgen. Integendeel. Sommige omstanders waren slap van het lachen. Toen de wethouders midden op het plein omvielen terwijl de tram al om de hoek kwam – zijn vader bleef maar op zijn rug liggen spartelen met zijn benen in de lucht – rende Lemmy erheen. Hij greep zijn vader beet en probeerde hem aan zijn schouders voor het aanstormende gevaarte weg te trekken. Op dat moment keek de man hem aan en verstijfde. Hij viel stil, nog altijd met zijn benen in de lucht; radeloos lag hij daar zonder iets te zeggen en hij bleef zijn zoon maar aankijken.

Die blik ziet Lemmy soms ineens weer voor zich, de blik die zijn wereld binnenstebuiten keerde. Het kan niet waar zijn dat hij toen direct alles begreep, maar zo herinnert hij het zich: alsof alle dimensies op dat moment vervormd raakten, alsof hij door zijn vaders ogen een andere werkelijkheid binnen werd gezogen, waar alles wat Lemmy tot dan toe kende en begreep alleen nog maar in spiegelbeeld bleek te bestaan. Hoe is het mogelijk, zong het door zijn hoofd, hoe kan het bestaan dat ik iets wat zo in het oog springt nooit eerder heb gezien!

Aan deze vroege verwarring heeft Lemmy een achterdocht overgehouden jegens alles wat een ander normaal noemt. Hij is er huiverig voor iets gewoon te vinden alleen omdat het door iedereen zo gezien wordt. Wie verzekert hem dat het perspectief zo meteen niet weer wisselt en hij al zijn verwachtingen opnieuw zal moeten bijstellen? Waarom zou je verhoudingen respecteren wanneer je hebt ervaren dat iets wat gisteren hoog leek, vandaag toch laag blijkt te zijn?

Die nacht kroop zijn moeder bij Lemmy op bed omdat hij niet kon slapen. Ze vertelde hem dat God in den beginne twee werelden had geschapen, een grote en een kleine, en voor ieder bijpassende inwoners op de gewenste maat. Een enkele keer, wanneer Hij met iemand iets bijzonders voorhad, kon het gebeuren dat Hij een klein mens geboren liet worden in de grote wereld, of andersom. Dit laatste, dacht zij, moest bij Lemmy het geval zijn, want naar het zich liet aanzien zou hij binnenkort nog groter worden dan hij al was en langer dan zijzelf. Hierna ging ze nog wat door over hoe blij ze toch wel niet was dat zo'n wonder haar mocht overkomen, maar erg vrolijk klonk ze niet.

Voortaan mocht Lemmy gaan en staan waar hij wilde, en op vragen waar hij mee thuiskwam gaven zijn ouders naar waarheid antwoord, ook al had ieder verzinsel hem waarschijnlijker geklonken. De feiten die ze onthulden maakten hem bang. Toch vroeg hij door. De werkelijkheid kwam hem zo ongelooflijk voor dat hij met elke nieuwe vraag dacht erdoorheen te zullen prikken. Maar dat gebeurde niet. Zijn ouders hadden alle sprookjes in de eerste jaren van zijn leven opgebruikt en voortaan waren zij in alles eerlijk. Hun openheid strekte zich ineens voor Lemmy uit als een woestijn waar hij zich doorheen moest slepen. Alles wat hij tot dan voor waar had aangenomen bleek een luchtspiegeling te zijn en loste voor zijn ogen op.

Dit was de waarheid zoals Lemmy haar te weten kwam: hij woonde in Lilliputia, een kunstmatige stad met driehonderd inwoners, ieder klein van stuk. Deze was voor hen op dwergschaal gebouwd naar het voorbeeld van het vijftiende-eeuwse Neurenberg en had alle voorzieningen van een echt Beiers stadje. De meeste gezinnen, zoals dat van hem, woonden binnen de muren, maar sommigen gaven er de voorkeur aan daarbuiten te wonen en waren alleen aanwezig tussen vier uur 's middags en middernacht wanneer het complex voor betalende bezoekers was geopend. Dit waren de uren waarop Lemmy's moeder hem tot dan toe angstvallig binnen had gehouden. Lilliputia was in 1904 gesticht door Samuel W. Gumpertz, een circusondernemer, die het nog altijd met groot succes exploiteerde. Hun dwergdorp, zoals het in de volksmond heette, was de belangrijkste attractie van Dreamland, een groot amusementspark aan het strand van Coney Island, New York City.

'Nu je ze eenmaal gezien hebt wil je misschien liever bij hen horen,' fluisterde zijn moeder. Ze durfde hem niet aan te kijken. 'Dat begrijp ik best. Daarom hebben we ze zo lang we konden voor je weggehouden. Neem het me niet kwalijk, Lemmy. Je zult ons snel genoeg ontgroeien.'

Ze maakte zich onnodig zorgen, want kort na zijn ontdekking van de waarheid bleek Lemmy's groei alsnog te zijn gestopt. Tiny MacFarland begon te juichen toen hij dit nieuws hoorde, maar hij was de enige.

3

De advertentie ligt naast zijn ontbijtbord. De krant lijkt achteloos opengeslagen, want het laatste wat Frau Moncau wil is zich opdringen, maar voor de zekerheid heeft ze met een dik rood potlood enkele regels omcirkeld onder het kopje ARTIESTEN. Hierin wordt een auditie aangekondigd voor dwergen met talent voor zang en dans, liefst de Engelse taal machtig. Een Britse impresario belooft bij engagement voor zijn lilliputrevue een tournee door het Verenigd Koninkrijk. In aanmerking komt 'een ieder die zich in dit land belemmerd *weet in uitoefening van zijn beroep. Uitreis gegarandeerd.'*

'Ik ben niet kort van beroep,' zegt Lemmy, 'maar van nature.'

'En van memorie.' Rosa wisselt een blik met Frau Moncau. Ze hebben hun plan al rond en zien hem als laatste hin-
dernis. 'Tot voor een paar maanden deden we niet anders
dan onze lengte te gelde maken. Wat wil je dan? We hebben
altijd van ons gebrek gegeten.'

'Geld, geld,' valt Frau Moncau haar in de rede, 'wie denkt
er nou aan geld? Kunst, daar heb ik het over!' Ze duikt achter de piano en begint een riedel waarmee ze lang geleden
zelf heeft opgetreden.

'Klein zijn is geen kunst,' houdt hij vol. 'Zeker niet voor
iemand die niet groot is.'

'Serieus, Lemmy, waarvan wou je anders leven?'

'Ik zoek een baan, gewoon, zoals andere mannen.' Rosa
staart hem aan. De gedachte aan alles wat hem als gewone
man diskwalificeert vult haar blik met medelijden.

Het is waar, hoe hij de laatste tijd ook met zichzelf heeft
lopen leuren, het heeft niets opgeleverd. Al die tijd brandt in
zijn binnenzak het kaartje dat hij van de arts gekregen heeft.
Hij heeft zelfs een keer de universiteit gebeld om eens te horen wat daar van vrijwilligers eigenlijk verwacht wordt en tegen welke vergoeding, maar daar heeft hij Rosa niets over
verteld.

'Er worden steeds meer kerels opgeroepen voor het le-
ger,' verdedigt hij zichzelf. 'Ze worden weggeplukt van het
land, achter de lopende band vandaan. Vacatures links en
rechts. Vroeg of laat moet iemand hun plaats innemen. En
als het oorlog wordt...'

'Het wórdt oorlog,' zucht Rosa, 'en wat zijn onze kansen
dan?'

'Da-da-da-die!' zingt Frau Moncau. 'Da-da-da-dah!' Ze
trekt haar oude boa van de kapstok en schrijdt met rollende
schouders door de kamer.

'Hoe groter hun verwarring daarboven,' antwoordt Lemmy, 'hoe minder oog mensen hebben voor wat zich afspeelt

op kruishoogte. Chaos werkt altijd in ons voordeel.'

'Ik wil hier weg nu het nog kan.'

'Hoe dacht je aan een visum te komen?' vraagt hij luchtig. Vandaag is hun huwelijksdag. Voor vanavond heeft hij een tafel geregeld in de Im goldenen Elephanten. Hij is in feeststemming opgestaan en laat die niet bederven.

'Uitreis gegarandeerd, hier staat het. Toe Lemmy, wat maakt het uit? In zo'n professionele productie is er juist eindelijk eens eer te behalen. We kunnen toch oefenen? Iets instuderen. Een eigen routine bedenken. Een heel eigen nummer. We kunnen het zo perfectioneren dat de mensen alleen komen om ons talent en nergens anders om.'

'Niet langer uit sensatie,' jubelt hun hospita tussen de schuifdeuren, 'enkel nog uit liefde voor de kunst!'

'Best mogelijk.' Hij niest. Overal dwarrelen veren. 'Maar hoe zouden we dat ooit zeker kunnen weten?'

'Toe, alleen die auditie.' Rosa pakt zijn hand. 'Lijkt het je niks dan gaan we weer.' Ze lacht hoopvol maar haar stem trilt.

Nooit heeft hij van iemand zo gehouden.

Zeven jaar vandaag.

Hij moet nog een cadeau kopen.

Frau Moncau, verdwaald in verloren tijden, plant één been op de pianokruk.

'De troost! Vervoering! De vergetelheid!' Ze toont haar jarretels alsof ze nog even appetijtelijk is als toen ze de cabarets aan de Reeperbahn afwerkte.

Lemmy heeft de lach aan zijn kont hangen. Als hij aan komt lopen krullen mensen hun mondhoeken al op, half verbaasd, half vertederd. Ze zijn verrast door zijn verschijning. Daarmee is de eerste slag binnen. Nog geen seconde later dringt tot ze door wat ze eigenlijk zien. Ze schrikken. Nu heeft hij ze in zijn zak. Meteen hebben ze spijt dat ze naar hem gekeken hebben, maar het is te laat. Hij staat op hun netvlies. Hij zit in hun hoofd. Ze stellen zich voor wat het betekent te zijn zoals hij. Afschuw! Schaamte! Hij leest het van hun gezicht.

Ongemakkelijk voelen zij zich. Medelijden! Schuld! Op dat moment willen ze niets liever dan verlost te worden van hun pijnlijke gedachten. Dit gunt hij ze niet zomaar. Nog een hele ademhaling lang rekt hij hun lijden. Dát is timing. Laat je ze te lang wachten dan worden ze agressief, dat heeft Lemmy wel geleerd, hoe ze zich dan ergeren aan hun eigen ongemak en zich tegen hem keren. Toch wacht hij, even nog, tot hun ergernis nog net niet door hun glimlach heen barst en dan – niet later, maar ook vooral niet eerder, dat komt heel precies... hij trekt een grimas, hij doet alsof hij ergens over struikelt, een kleinigheid is al genoeg. Ze schieten in de lach. Dit is de uitweg die hij ze biedt. Wat zijn ze opgelucht! Als hij het zelf luchtig neemt, hoeven zij er immers ook niet zwaar aan te tillen. Hun spanning ontlaadt zich. Die eerste lach knalt van hun samengeknepen lippen als de kurk van een champagnefles. Hierna krijgen zij lucht. Lemmy probeert een appel te plukken die te hoog voor hem hangt, hij loopt onder iemands benen door. Diep uit hun longen wolkt een tweede golf van vrolijkheid, en dankbaar dat hij ze uit hun benarde gevoel bevrijd heeft sluiten de mensen hem in hun hart. Dit is hem altijd makkelijk af gegaan. Hij is nu eenmaal geboren om te plezieren. De een werkt zich uit de naad om een publiek voor zich te winnen, een ander komt het aanwaaien. Hij ziet mensen kijken. Hij voelt hun ongemak. Dat wil hij wegnemen. Meer is het niet. Hij wil ze vóór zijn. Dat is minder pijnlijk. Zijn zij opgelucht dan is hij het ook. In die zin pleziert hij in de eerste plaats zichzelf. En wat kost hem nou helemaal een koprol?

Is een kunstje niet het eerste wat van ieder mens gevraagd wordt vanaf het moment dat ooms en tantes met vertrokken gezichten boven de wieg verschijnen? Ze willen iets. Hun stem piept, ze briesen door hun lippen. Aan één stuk door mummelen ze woordjes die niets betekenen. De aders in hun voorhoofd zwellen. Grijnzend trekken ze hun wenkbrauwen op en sperren hun ogen open tot ze uitpuilen. Van opwinding lopen ze rood aan. Zo meteen houden ze er nog wat aan over! Wild gebaren ze met hun vingers en ze priemen de pasgeborene in zijn zij. Wanhopig bedenkt de kleine iets waarmee hij ze zou kunnen kalmeren. Van alles probeert hij, maar niets helpt. Tot hij een keer lacht. Dat werkt! Opgelucht halen de familieleden adem. Hun zenuwtrek verslapt. Dan lachen ze hem na. Die truc is zo geleerd. De volgende keer is dat het eerste wat de kleine doet: hij lacht. Hij geeft ze waar ze om vragen. Om ervan af te zijn. Om ze tevreden te stellen. En zij lachen terug. Zo traint hij ze. Het is voor hun eigen bestwil. Zo bedwingt hij ze. Om te zorgen dat ze niet in het briesend bellenblazen blijven. Het eerste kind dat sterk genoeg is om aan deze waanzin niet toe te geven moet nog geboren worden. Ondertussen denken de grote mensen dat zij het zijn die hem vrolijk maken, maar het kleintje weet beter.

Van zuur krijg je azijn, maar zoet vindt iedereen je lekker. Dit had Lemmy snel door. Als een toverbal die rondgaat in een kinderklas gaf hij elke keer zoet een nieuw laagje bloot. Meer heeft het niet om het lijf: variété! Telkens een ander kleurtje, steeds een nieuwe smaak! Hij heeft er gewoon nooit bij nagedacht dat hij daar ooit doorheen zou kunnen raken.

Im goldenen Elephanten. Hij heeft voor Rosa een corsage van witte gardenia's gekocht. Ze gaan zelden uit en hebben zich erop gekleed. Kleding waarin zij niet opvallen moet nog worden uitgevonden. Dat weten ze en toch went het niet. Wat volgt is een sketch voor twee dwergen en een lange lijs. Het heeft nog het meest weg van zo'n grap uit een van de oude revues op Coney.

Zit Lemmy met Rosa in het restaurant. Komt de ober. Ze bestellen. Vraagt hij om wat extra brood. Kijkt de ober de tafel rond. Wil hij weglopen, bedenkt hij zich. Zegt hij: 'Eten jullie straks dan wel je bordje leeg?'

Je zou denken dat de huid een natuurlijke grens vormt. Daarbinnen zit jij, daarbuiten is de rest. Aan de ene kant ben jij de baas, aan de andere kant gelden hun wetten. Je kunt ze geven zoveel ze vragen, maar binnenkomen kunnen ze nooit. Je kunt je handen naar ze uitsteken, maar zij kunnen onmogelijk naar binnen reiken om daar de boel eens leeg te graaien.

Nu merkt Lemmy dat dit niet waar is. Er komt een dag waarop je te veel van jezelf hebt uitgedeeld. Je zoekt wat er voor jou nog over is en het is niet genoeg. Voor hem is dit die dag. De grens is week geworden. De anderen zijn binnengesijpeld. Hij heeft te veel afgegeven. Hij is met ze vervloeid. Ze stromen door hem heen. Hij dobbert op hun eb en vloed.

Zit Rosa tegenover Lemmy. Willen ze vieren dat ze zeven jaar samen zijn. Mooi damast, echt zilver, alles pico bello. Zegt die ober: 'Eten jullie straks dan wel je bordje leeg?'

Wat kost hem een koprol? Hij weet het niet, want hij merkt het niet meer. Het is een gave. ('Van wie ik 'm heb, die gave, dat weet ik niet,' luidde een van de vaste *oneliners* van Lemmy's vader, 'maar wedden dat diegene blij was ervan af te zijn?') Het wordt een tweede natuur. Het slijt in. Het slijt. Steeds verder slijt het. En dan ineens is het op. Dat is het. Het is op. De toverbal heeft zijn laatste kleur afgegeven. Kaalgezogen. Geen smaakje meer. Rest alleen de taaie kern, dat ruwe klontje dat mensen liever uitspugen. Niets is er nog aan. Het laatste suikerlaagje is eraf.

'Ik snap jou niet!' Ze zijn amper thuis of Rosa rukt haar gardenia's los. Ze wil haar goede jurk uittrekken. Wat haar betreft is het feest voorbij, maar ze kan niet bij de rugsluiting. Aangedaan is ze, te driftig. Er springen pailletten van de stof. Ze houdt haar haren omhoog zodat Lemmy de haakjes los kan maken.

'Ik schaam me zo!' snikt ze. 'Wat mankeert jou?'

'Precies een meter,' antwoordt hij, 'anders had ik hem wel op zijn bek geslagen.'

'Mensen weten niet wat ze met ons aan moeten. Dat kun je ze niet kwalijk nemen. Wij brengen ze in verlegenheid. Dat is nou eenmaal zo, Lemmy, daar moet je boven staan.'

'Dat zou mooi zijn, ja, maar zoals het is staan wij eronder.'

'Altijd maar grappig,' zegt ze bits. Ze huilt. Ze staat in haar onderjurk bij het aanrecht brood te smeren.

Ondertussen dringt de volle omvang van het voorval tot hem door. De ober heeft zijn brutaliteit begaan. Niets bijzonders. Normaal had Lemmy een kwinkslag gemaakt. Hij had zijn haar in een babykrul gedraaid en een pruiltoet getrokken. Normaal had hij zich op de grond laten glijden en om een kinderstoel gevraagd. Dan had de hele zaak gelachen en ze hadden er een gratis fles wijn aan overgehouden. Maar wie is hij om aan af te meten wat normaal is? In plaats daarvan zat Lemmy als verlamd. Het was niet eens dat hij het niet met een grap wilde afdoen. Het lukte gewoon niet. Hij wist niet waar hij er nog een vandaan had moeten halen. Boos werd hij niet, ook niet verdrietig. Hij voelde niets. Hij stond gewoon op en zei dat ze naar huis gingen. Dit is nu waar Rosa zich zo voor schaamde. Niet voor de opmerking van de ober. Die deerde haar niet. Had Lemmy de pias uitgehangen, zoals altijd, ze had hem niets verweten. Maar voor één keer heeft Lemmy de eer eens aan zichzelf gehouden.

Zijn eer.

Haar schaamte.

Ze eten hun brood. Zij vult twee wijnglazen met melk zodat ze toch nog op hun geluk kunnen klinken. Hij wil haar bedanken voor haar liefde, maar de woorden blijven steken in zijn keel. Ze kust hem, pakt zijn hand en leidt hem naar de slaapkamer.

Hij kleedt haar uit en wacht en kijkt en blijft maar met zijn blik over haar lichaam dwalen. Hij probeert het zich in te prenten, elke dag opnieuw, altijd nog bang dat het hem maar tijdelijk is gegund. De eerste jaren van hun geluk heeft hij verdaan omdat hij onmogelijk kon geloven dat zoiets voor hem bestemd was. Hij had lief alsof hij op heterdaad betrapt kon worden. Zo meteen wordt de vergissing ontdekt, dacht hij, en komen ze haar bij me weghalen, of anders vallen straks de schellen wel vanzelf van haar ogen en ziet ze mij ineens zoals ik ben. Haar borsten, dijen, heupen, billen – na al die jaren begrijpt hij heus wel dat ze voor hem zijn. Dat hij ze aan mag raken en ertussen mag verdwijnen. Maar nog altijd voelt hij niet dat hij daar recht op heeft. Niet echt. Daarvoor zijn ze te volmaakt. De troost die opgloeit uit haar huid! Nee, daarvoor had hij alle hoop op liefde al te lang geleden laten varen.

'Even nog! Toe, alsjeblieft,' roept hij als Rosa onder de lakens glijdt. Hij slaat ze terug en laat vannacht het licht aan, zoals hij helemaal in het begin wel deed, toen hij zich er steeds opnieuw van moest verzekeren dat hij haar niet alleen maar had gedroomd.

Een paar uur later ligt hij nog steeds wakker. Onrustig begint hem iets te steken, zoals een gif doorzeurt wanneer de beet al is vergeten; diep door de spieren jaagt het, koud, koortsig, schurend langs het ruggenmerg omhoog tot onder de hersenschors. Het is niet gezegd dat het door die ober komt. Ook niet door Rosa's schaamte. Die neemt hij haar niet kwalijk. Iedereen is bang. Het is de tijd. Ieders blik krimpt. De wereld verglijdt. Nauwer wordt alles. Wegen worden afgesneden. Mensen worden samengeworpen. Hun vrijheid wordt ingeperkt. De dreigementen zijn niet meer te bevatten. Overal heerst achterdocht. Mensen bakenen hun territorium af. Daarbinnen treden ze feller op. Hoe zouden Rosa en hij daar ongevoelig voor kunnen blijven? Waarom zouden zij daar niet door worden aangetast? Hoe angstiger mensen worden, hoe harder ze roepen dat ze willen worden vermaakt. De oorlogsdreiging is voor artiesten zoals zij een goudmijn. Je hoeft maar op een straathoek te gaan staan en de rand van je hoed op je neus te laten balanceren of de mensen gooien hun laatste *Groschen* aan je voeten, zo dankbaar zijn ze voor alles wat hen even van hun sores afleidt. Het variété kan zich geen betere impresario wensen dan de nazipartij.

Zo ligt hij te malen, alsof het nu pas tot hem doordringt hoe nauw vermaak en angst met elkaar verbonden zijn.

Lemmy's vader liet zich optillen. Dit was een van de attracties van de wereld waarin hij is opgegroeid. De man woog niets. Zelfs de grootste slapjanus kon het en toch, ieder meisje dat zag hoe haar verloofde een levend, ademend mensje op zijn hand nam en boven zijn macht tilde, kreunde van bewondering. Volwassen vrouwen wreven bij het spektakel hun dijen tegen elkaar, alsof hun kerel voor hun ogen veranderde in Goliath en zij niet konden wachten tot de geweldenaar hen als volgende ter hand zou nemen. Dit was alle jonge mannen bekend: dwergheffen doet meer voor je mannelijkheid dan de Kop van Jut of het prijsschieten tegenover de Pier. Op zwoele zomeravonden, wanneer het zwart zag van de verliefde paartjes, ging zijn vader in een lange rij van hand tot hand. Soms bleef hij tot middernacht in de lucht. Er zijn wel mensen geweest die dachten dat hij dit werk met tegenzin deed of zich er heimelijk voor schaamde. Dit vond Lemmy's vader typisch een gedachte voor iemand die nooit tot vermaak heeft gediend. Hij ging er juist prat op dat hij geliefden samen kon brengen. Wanneer iemand die hem net had doorgegeven of neergezet arm in arm met zijn vriendin onder de planken van de promenade verdween om daar de liefde te bedrijven, glom Lemmy's vader van trots dat hij hun afrodisiacum was geweest.

Wel had hij last van bezoekers die te ver gingen, rijke patsers meestal of matrozen met verlof. Die gooiden hem dan over van de ene hand in de andere of naar elkaar. Soms misten ze, want vaak waren ze dronken, of als ze hun bewondering hadden geoogst konden ze midden in een worp hun interesse verliezen en verder wandelen zonder hem eerst op te vangen.

'Je herkent ze aan de vrouwen die ze bij zich hebben,' waarschuwde zijn vader, die ervan droomde dat Lemmy op een dag de zaak zou overnemen. 'Hun rokken zijn te kort en aan één stuk door kauwen ze kauwgom. Ze vinden zichzelf lelijk, daarom gedragen ze zich alsof ze beeldschoon zijn. Als de dood zijn ze dat uiteindelijk geen man hen zal willen hebben, daarom geven ze zich gratis en voor niks. De onzekersten zijn altijd het gevaarlijkst, denk daarom! Dat zijn degenen die hun kerels ophitsen. Ook als het niet leuk meer is stoken zij hen op en moedigen hen aan, want ze willen vlot overkomen, koste wat kost, en wanneer het misgaat hoor je hen het hardste lachen. Degenen die lachen wanneer iemand valt, die zijn de oorzaak van alle ellende in de wereld, dat mag je niet vergeten!'

Toen hij het zei was Lemmy te jong om het te begrijpen en voor hij oud genoeg was, was het al te laat. Hij was er niet bij toen zijn vader werd gelanceerd, maar het gebeurde op een zaterdagavond, dus genoeg mensen hebben het gezien. Hem is het zo verteld: zijn vader was opgetild door de eigenaar van een garage op Atlantic Avenue die een avondje op stap was met een serveerster van de *soda fountain* op de hoek. De man moest om elf uur bij zijn vrouw terug zijn, dus hij had haast, en het tillen van Lemmy's vader leek zijn zaak te bespoedigen, want dat mokkel van hem kirde van plezier.

'Gooien, Marty,' moedigde ze hem aan, 'gooi hem eens de lucht in!'

Lemmy's vader, die gevaar rook, maakte nog een extra sprongetje om haar tevreden te stellen, maar het mens hield aan en de garagehouder, die na dit voorspel snel wilde doorstoten, probeerde met zijn dwerg te jongleren.

'Kom op,' schreeuwde ze, 'of ben je daar te slap voor? Marty, laat dat ventje vliegen!'

De man aarzelde, maar toen hij zag hoe haar borsten onder de roze sweater op en neer wipten wanneer de serveerster van bewondering opsprong, greep hij Lemmy's vader onder de oksels. Hij draaide een paar keer in de rondte om het lichaampje vaart te geven en wierp het toen met zo veel kracht omhoog dat de kleine man dwars door de markies heen schoot en voor altijd in de nachthemel verdween. Dit was althans de verklaring die Lemmy's moeder gaf toen ze hem de volgende ochtend bij het ontbijt vertelde dat zij voortaan met zijn tweeën zouden zijn. Er kwamen later wel mensen die beweerden dat zijn vader in werkelijkheid direct naast de tent op de promenade was neergekwakt en zijn nek had gebroken. Zijn moeder bleek dat verhaal ook te kennen, maar toen Lemmy haar ernaar vroeg haalde ze haar schouders op.

'Ik weet echt niet waarom een zinnig mens van twee mogelijke verklaringen uitgerekend de meest akelige zou geloven,' zei ze. Hoofdschuddend liep ze weg, zoals altijd een beetje waggelend met die kromgegroeide knieën van haar. Hierna heeft ze nooit meer hardop beweerd dat haar man in een baan rond de aarde was gekomen, maar altijd als er een vallende ster voorbijschoot zwaaide ze even.

4

Toen hij eenmaal doorhad hoe Lilliputia zich verhield tot de rest van de wereld kon Lemmy zich geen mooiere plek voorstellen om in op te groeien. Met de andere dwergen woonde hij als levende attractie in het amusementspark, waarvan hun stad maar een onderdeel was, en hij had vrij toegang tot alle ritten en werelden van Dreamland. Elke dag kwamen er zo'n vijftigduizend bezoekers op af, honderdduizend op feestdagen. Aan het eind van de middag, wanneer er één miljoen elektrische lichtjes werden ontstoken, meer dan ooit vertoond, en de contouren van de torens gloeiend tegen de wolken afstaken, kleurige rozetten door de lucht zweefden, lichtbundels alle kanten op schoten, te zien tot vijftig mijl op zee, en het hele terrein veranderde in een tuin van licht, zoals Alladin zich er onmogelijk een had kunnen toveren, waarop een kreet van verbazing en bewondering ontsnapte uit de kelen van de massa, schoten Lemmy soms de tranen in de ogen van trots dat hij dit wonder gewoon zijn thuis mocht noemen.

Het was ook de best denkbare school. Wat hij over het leven te weten wilde komen, hoefde Lemmy niet uit boekjes te halen. Op een en dezelfde middag kon je er China bezoeken, West-Afrika, Arabië en de hel. Je kon in de sneltrein van de toekomst rijden en daarna in een gondel door de kanalen van Venetië dobberen. Je mocht een gesimuleerde vlucht maken in een echt vliegtuig of een heuse vlucht in een van de luchtschepen van pionier Santos-Dumont. Er waren natuurgetrouwe bergen en lagunes, door mensenhand gemaakt. Je kon huizen zien branden en een aardbeving ondergaan. In de Schepping, een van de populairste attracties, reisde je terug door zestig eeuwen bijbelse geschiedenis, helemaal tot aan het begin van alle dingen, waarna je in een panorama, opgeschrikt door echte bliksem en verhit door vlammende gassen, het einde van de wereld kon aanschouwen. Wanneer er ergens een natuurramp plaatsvond verscheen daarvan in Dreamland binnen de kortste keren een enscenering. Zo heeft Lemmy met eigen ogen de overstromingen gezien in Johnstown, Pennsylvania, met een dam die elke dag opnieuw echt doorbrak, waarbij huizen werden meegesleept door het water dat uit een batterij tanks stroomde van ieder vijfentwintig voet breed. Omdat de ogen van de wereld op Dreamland waren gericht werden de nieuwste uitvindingen en technieken juist daar tentoongesteld. In het Infantorium, een zaal vol couveuses, kon je te vroeg geboren baby's zien vechten voor hun leven, en toen aan de voet van de replica van de toren van Sevilla de allereerste speelfilm werd vertoond zat Lemmy vooraan. Het kolossale pretpark bood een inventaris van alles wat ongewoon was, nieuw en opmerkelijk. Een compendium van de nieuwe eeuw werd het genoemd, een catalogus van de toekomst, en daarin was Lemmy opgenomen!

Anderen, minder geïmponeerd door de vooruitgang, noemden het Sodom aan Zee, want ook de liefde viel er in alle variëteiten te bestuderen. Van jongs af aan was Lemmy gewend mensen om zich heen te zien die plezier aan elkaar beleefden. Hij wist niet beter of jongens en meisjes liepen hand in hand. Vrouwen hielden hun arm om het middel van mannen geslagen, mannen lieten hun hand op de billen van een vrouw rusten, kriebelden daar zo'n beetje rond en af en toe gleed die hand naar beneden, spelend, steeds iets lager, tot het hem werd toegestaan daartussen te verdwijnen. Zo ging dat bij hen en Lemmy had geen reden aan te nemen dat het elders anders was. Mensen kwamen een dagje naar zijn stad om pret te maken. In ieder hoekje stonden stelletjes verstrengeld. Het leek hem de natuurlijkste zaak van de wereld.

Tegelijk wist hij als geen ander hoe hard er moest worden gewerkt om de droom in stand te houden en hoe vaak zij daarin tekortschoten. Hij had zelf gezien hoe het geëlektrocuteerde lichaam van een monteur drie rondes door de steeplechase werd meegesleurd, en dat een meisje van de toren sprong omdat iemand op de schaatsbaan haar hart had gebroken. Elke ochtend stond hij tot zijn enkels in aangekoekte zakdoeken, etensresten en oud papier, want meer bleef er van alle vreugde na sluitingstijd niet over. Hij ploegde erdoorheen en schopte de proppen omhoog, zoals kinderen in de echte wereld door herfstbladeren trappen, uit alle macht, want soms was het net alsof er tussen het rondritselende vuil nog ergens een lach van de vorige avond roezemoesde.

Die troosteloosheid en het feestgedruis waren hem even dierbaar omdat ze bij elkaar hoorden. Uit het een volgde onherroepelijk het ander. Je had een openingstijd en een sluitingstijd, dat was alles. Iemand haalde een schakelaar over en de mensen stroomden zijn leven in of er weer uit. Dit heeft hem bepaald, meer dan zijn uiterlijk: te weten dat vrolijkheid en hoop kunnen worden aangezet en uitgeschakeld. Dat zelfs in de diepste duisternis ergens een hendel zit die kan worden omgezet, waarop er een miljoen lichtjes aan zullen gaan. Die muziek, zo vaag, zo vrolijk, die altijd meekwam op de wind, zodat hij wist: hoe ver ik ook van het vertrouwde wegga, ik kan er altijd nog naar terugrennen.

Met die klanken in de rug waagde hij zich uiteindelijk in de etablissementen aan West 12th, net buiten de poort. Hij had er allang over gehoord, maar altijd van jongens met zo veel spieren en zulke bravoure dat het hem een avontuur leek waartegen hij niet zou zijn opgewassen. Rond zijn twaalfde jaar gaven zijn hormonen zijn nieuwsgierigheid echter net het zetje dat nodig was om in weer een nieuwe wereld binnen te gaan. Aan de lokalen van zijn leerschool leek geen eind te komen. Hier ontdekte hij er een met lessen die precies aansloten bij zijn nieuwe interesse. Zogenaamde *studieballetten* werden opgevoerd en dansen *naar het leven*, wat erop neerkwam dat de danseressen zo schaars gekleed waren dat je hun natuur kon raden, en in Joey's benedenbar stond altijd een naakte vrouw op de toog, bewegingloos als een schildersmodel, waardoor Lemmy haar des te beter in zich kon opnemen.

Hij was hiervoor natuurlijk te jong, maar niemand greep in. Lemmy ontdekte dat grote mensen de leeftijd van een dwerg lastig kunnen inschatten. Het leven tekent hen anders, minder gelijkmatig dan anderen. Hun maten en trekken verwarren de zintuigen. Ze zetten mensen op het verkeerde been en van die wankeling maakte Lemmy dankbaar gebruik. Als een uitsmijter soms vroeg hoe oud hij was beweerde hij verontwaardigd dat hij geen kind was maar een dwerg. Van schaamte vroeg men dan meestal niet verder. Soms kreeg hij zelfs een gratis consumptie om de blunder goed te maken. Zelden hoefde Lemmy echt te liegen over zijn leeftijd, maar zelfs wanneer ze hem niet geloofden durfden ze nog niet om een bewijs te vragen. Na verloop van tijd raakte men aan zijn verschijning gewend en in een aantal louche tenten werd hij kind aan huis.

'Wat hang je hier toch steeds rond, jongen,' zei iemand op een dag. 'Heb jij niet genoeg ellende van jezelf dat je die van een ander komt bekijken?'

Hij keek op. Naast hem aan de bar stond Miss Mazeppa. In vol ornaat, klaar om op te gaan. Ze sloeg een whisky achterover om moed te vatten. Lemmy had haar weleens zien dansen. Ze stripte, dus hij had ook al wel van haar gedroomd. Maar dat ze kon praten, daar had hij nooit rekening mee gehouden, laat staan dat ze hem aan zou spreken.

'Ellende, hoezo?' hakkelde hij. 'Ik vind dit allemaal juist machtig!'

De vrouw liet zich bijvullen.

'Macht betekent voor iedereen iets anders.' Ze tilde haar borsten op, een voor een, zodat die weer volop uit hun houder bolden, en met een vinger trok ze haar glimmende broekje strak in haar lies. 'Ik zeg: hou de schijn op. Dat is alles. Jij weet toch hoe dat gaat als mensen je bekijken?'

'Ik weet het,' zei Lemmy, maar eerlijk gezegd was hij alles vergeten wat hij ooit geweten had.

'Je laat ze zien waar ze voor zijn gekomen. En wat ze willen zien ben je nooit zelf. Ik zeg: verberg je en gun ze de illusie.'

Een drum roffelde. Ze dronk haar glas leeg, liep naar voren en stapte in de volgspot. Lemmy voelde zich licht in zijn hoofd. Een vrouw als zij die dacht dat hij ook maar iets met haar gemeen kon hebben!

Miss Mazeppa tergde meer dan dat ze uittrok. Dit was haar talent. Mannen hingen met hun tong tussen de lippen tegen het podium. Ze gluurden omhoog en stootten elkaar aan alsof ze de oorsprong van de wereld zagen. Ze staken hun armen naar haar uit en stopten dollarbiljetten onder haar jarretel, maar zij bleef onverstoorbaar. Ze kronkelde en kroelde. Ze wapperde met losse zijden lappen en streek die langs haar dijen. Af en toe wierp ze er een weg, maar waar mannen het meest naar smachtten hield zij bedekt. Pas op de allerlaatste maten haakte zij haar bustehouder los. Er werd gejoeld om ieder haakje. Zij draaide zich om en wierp hem tussen haar publiek. Met haar rug naar de zaal stond ze, armen in de lucht. De roze veren in haar hoofdtooi trilden. Even keek Mazeppa om alsof ze zich alsnog *front zaal* zou draaien. Volwassen kerels kreunden als kinderen. Dan werd het donker. Voordat ze iets had laten zien. Dit was haar les in macht.

Het eerste wat nieuwe immigranten van hun toekomstige vaderland zagen, lang voordat de haven in zicht kwam, waren de lichten van Dreamland. Wanneer er dan voor hen op Manhattan geen plaats bleek te zijn aarzelden ze geen moment. In de drinkhallen en nachthuizen die rond het pretpark waren opgetrokken woonden Italianen en Georgiërs, Armeniërs en Kirgiezen. Op zondag leefden ze op zichzelf, omdat ieder zijn eigen geloof volgde. De rest van de week liepen ze gearmd over Neptune Avenue en dronken samen in de koffiehuizen op Stillwell. Vaak waren het handelaars die kleding en voedsel leverden aan de inwoners van het park. Als de mannen een borrel ophadden vertelden ze sterke verhalen over hun geboortestreek, en Lemmy trok op zijn atlas met een vinger hun reizen na, trots dat vanuit alle hoeken van de wereld de lijnen altijd weer naar Coney Island leidden. De nieuwkomers hechtten sterk aan hun herinnering en ieder had wel een anekdote die hem aan het huilen bracht of aan het zingen. Ook al verstonden ze elkaar niet of mochten ze elkaar niet eens, altijd bracht de heimwee hen weer samen. Lemmy hoorde hen spreken over grote idealen en politieke bewegingen, en toen zij op een dag een vakbond oprichtten voelde hij de hoop door de zaal zinderen.

Om de wereld te leren kennen hoefde Lemmy Dreamland niet uit. Integendeel, het avontuur kwam naar hem toe. Om de zoveel tijd keerde Gumpertz van zijn reizen terug met, zoals hij ze adverteerde, *ongehoorde wonderen*. Tweehonderdtwaalf Bantokse koppensnellers bracht hij mee en liet een woud voor hen opstellen, waar ze woonden in boomhutten. Zij hadden prauwen meegebracht en leerden Lemmy hoe je snelheid kon maken door middel van lange slagen met korte peddels. Soms namen zij hem mee de zee op om er badgasten angst aan te jagen, want dat was hun attractie. Uit Borneo kwamen negentien wilden, die Gumpertz van hun opperhoofd gekocht had voor twee zakken zout, en van de Filippijnen een stam Igorettes. Zij leerden Lemmy gifpijlen blazen en sierranden hameren op koperen ketels. Hij maakte kennis met een groep vrouwen uit Birma, die door het aanbrengen van ijzeren ringen hun nekken hadden opgerekt tot vijfendertig centimeter, en met honderdvijfentwintig Somalische strijders, die in trance hun huid openkerfden, waarna ze de wonden vulden met blauwe klei. Dat was hun medicijn. Zij dachten dat het verdriet dat ze voelden een ziekte was en hoopten die op deze manier van binnenuit te kunnen bestrijden. Toen het land op zijn kop stond omdat er in Marokko een Amerikaans staatsburger was gekidnapt door de bendeleider Raisuli, importeerde Gumpertz achttien Algerijnse ruiters met woeste baarden en minachting in hun blik. Soms mocht Lemmy mee wanneer ze eropuit gingen om zwaaiend met kromzwaarden door het publiek te galopperen. Zij trokken hem op de schoft, klemden hem tussen hun knieën en leerden hem het dier te mennen aan de manen. Eén winter bezorgden de koelhuizen uit het vleesdistrict grote ijsblokken, waarvan een groep Eskimo's een iglodorp bouwde. Als het gesneeuwd had reden zij met sledehonden over het strand. Op een dag verscheen er een stam die gewoond had aan de oevers van de Urangi in Midden-Afrika. Gumpertz had hen van de Franse regering gehuurd voor drieduizend dollar per week. De vrouwen droegen houten schijven door hun onderlip, die ze hiermee van kinds af aan hadden uitgerekt tot wel vijfentwintig centimeter. Dit gebruik, ooit bedacht om hen onaantrekkelijk te maken voor de slavenhandel, werd nu hun ongeluk. Hun mannen, die waren meegereisd om traditionele lemen hutten te bouwen, ontdekten namelijk dat de lippen van Amerikaanse vrouwen zich beter voor de liefde lenen, en verlieten hen, waarop twee Urangivrouwen voor een auto sprongen.

Jarenlang beleefde Lemmy avonturen waarover andere jongens alleen maar konden lezen. Binnen zijn eigen kleine kosmos vond hij van alles waarnaar hij daarbuiten jaren had kunnen zoeken zonder het ooit te vinden. Het kwam niet bij hem op dat hij op een dag misschien het echte leven in zou moeten.

Regelmatig hielp hij zijn vriend Boniviture, de leeuwentemmer. Eén arm was hem afgebeten, maar met de andere kon hij twintig leeuwen in bedwang houden. Het voederen kostte hem echter moeite, zodat hij Lemmy de hompen vlees die van het abattoir kwamen liet fijnhakken tot ze tussen de tralies door pasten. Aan een ijzeren haak trok hij ze door de kooien.

'Hard werk, hè kleine?' riep Gumpertz op een keer. 'Laat ze maar niet denken dat jij het toetje bent!' Zelf had de directeur sinds zijn negende in het circus gewerkt, en hij had een zwak voor wilde dieren. 'Elke dag moeten we ze voeren, maar de mensen hebben geen idee wat daarbij komt kijken.' Hij hurkte voor Lemmy en hield een karkas vast zodat de jongen de ribben door kon zagen. 'Ze storten zich erop, happen het weg, slikken het door, en ze hebben het nog niet verteerd of ze ijsberen alweer rond, ongedurig tot we ze iets nieuws voorhouden.'

De man en de jongen wasten hun armen, die tot de ellebogen onder het bloed zaten, in een emmer water. Gumpertz ging in het stro liggen, liet Boniviture ijslolly's halen en vertelde over zijn volgende onderneming, een tocht naar de Lage Landen, waar hij mensen vandaan wilde meenemen die op houten schoenen liepen. Dat volk woonde in een kunstmatige omgeving, net als Lemmy, waar alles klein was. Dat interesseerde hem: vlakke velden doorsneden door kanalen zo smal dat hij eroverheen zou kunnen springen. De huisjes hadden er halve deurtjes waar hij met gemak bovenuit zou kunnen kijken. Zelfs de bergen waren er op zijn maat, nooit hoger dan een duin.

'Mensen willen altijd weer iets nieuws,' verzuchtte Gumpertz, 'maar ze zijn lui geworden. De wereld is te groot voor ze. Ze trekken er niet meer op uit om hem te veroveren. Ze krijgen hem liever hapklaar geserveerd. Elke dag een verse droom om te verslinden. Aan ons de taak die aan te slepen, jongen. Jij en ik, wij kunnen dat.' Hij vloekte hartgrondig en liet zijn vuisten zo hard naast zich neerkomen dat Lemmy de aarde onder zich voelde trillen. 'Je moet er toch niet aan denken! Gewone mensen met normale levens waaraan niks mankeert, als die toch al met zo'n gemak door hun dromen heen raken...'

5

Elke ochtend na het ontbijt schuift Frau Moncau de tafel aan de kant en stapelt er alle stoelen op. Het tapijt heeft ze meteen de eerste dag al opgerold zodat Lemmy en Rosa op de planken kunnen oefenen, en met vereende krachten is de grote schouwspiegel uit zijn rococolijst getild en tegen de muur gezet, zodat zij daarin hun houding kunnen controleren als bij een echte balletstudio. Klokslag tien hangt Moncau een stuk karton dat ze zelf heeft beschilderd buiten de deur: *Stilte-repetitie!* Niet omdat ze anders gestoord zouden worden, maar omdat ze geniet van haar eigen professionaliteit. Met rechte rug zit ze achter haar piano, en wanneer haar kleine gasten nieuwe passen instuderen tikt zij de maat met een kersenhouten stok op de vloer.

De discipline doet hun goed. In de spiegel ziet Lemmy hoe Rosa ervan opleeft. Ze stift haar lippen weer. Bindt haar haren strak in een knot. Ze heeft de gaten in haar maillot gestopt en de mouwen van een oude trui geknipt die ze nu als beenwarmers draagt. De overgave waarmee ze haar opwarmingsoefeningen doet, is al genoeg om hem te doen smelten, maar dan, als ze naar het midden van de ruimte loopt, zich concentreert om wat *tours* te draaien of de aanloop neemt tot een *jetée* – zoals ze dán alle schoonheid in zichzelf aanspreekt. Zoals zij die bundelt en naar buiten richt. Zij vindt een innerlijke kracht die alles in haar omgeving lijkt te doorstralen. Precies dit was het waarmee zij lang geleden Lemmy's blik voor het eerst trok. Nu hij het terugziet, dat licht in haar dat zij door het leven bijna hadden laten doven, breekt zijn hart open en zijn liefde stroomt, hevig plotseling, in schokken onbeheersbaar, alsof hij om haar huilt.

Voor zijn ogen groeit zij omdat al haar spieren zich strekken en elk gebaar naar boven streeft, maar ook hoger nog en weidser, alsof haar ziel door de begrenzing van haar lichaam heen breekt en de hele ruimte vult.

Tour, piquée, tour, piquée vliegt Rosa diagonaal door de eetkamer. Te laat houdt ze in en ze landt voluit in zijn armen. Even blijft ze daar, alsof dit van alle wervelingen de climax is. Ze vlijt zich tegen hem aan, en straalt naar hem, ogen wijd-open als een kind dat de wereld verkent.

'Och, lieverd,' lacht ze verbaasd. Met de palm van haar hand droogt ze zijn wang. 'Tranen? Zo lelijk was het nou toch ook weer niet?'

Hij kust haar, schudt zijn hoofd.

'Wanneer jij danst...' Hij stamelt. 'Ik weet niet waarom ik dat niet eerder heb gezien. Hoe jij jezelf dan vergeet!'

Ze maakt zich los, hijgt na, schudt haar hoofd als een hond na het zwemmen. Zweetdruppels vliegen tegen Lemmy's gezicht. Ze drukt haar vuisten tegen haar flanken om ze in het juiste ritme te dwingen.

'Ik voel het. Dat lichaam van me. Nu al. De ruggengraat, de knieën. Dan weet ik hoe het eindigt. Zoals alle kleine mensen eindigen. We weten het toch. Hoe weinig tijd het heeft, dat lijf. Hoe kreupel het zal groeien. Het is begonnen, hier en hier. Nu gaat het nog. Dus dans ik. Daarom laat ik het zien. Nu het nog kan. Ik vergeet mezelf niet. Juist niet. Als ik dans help ik mezelf herinneren.'

Ze neemt zijn hand en trekt hem mee. Midden in de ruimte zet zij Lemmy voor de spiegel. Via het glas kijkt ze hem aan. Van dit geluk heeft zij al die tijd afstand gedaan en hij heeft het niet aangevoeld. Bijna was het hun ontglipt, dit vermogen passie tastbaar te maken. Zij doet de passen voor die ze voor hun auditie had uitgedacht. Hij volgt.

Veel stellen ze niet voor. Dat weten ze. Ze hebben smoel, ze hebben schwung. Breed lachen en synchroon bewegen, dat kunnen ze. Met hun *time step* pakken ze de zaal, en als ze op de laatste maten onverwacht versnellen, strekken ze hun armen en schreeuwt hun hele lijf: vooruit mensen, vreet me maar op! Ze leggen hun ziel en zaligheid erin, en toch... Het meest bijzondere aan hen is dat zij zich durven te verto-nen. Niet wát ze laten zien, maar dát zij zich laten zien. Een verdienste is dat niet. Het is hun van jongs af aan geleerd.

Handig is het wel. Veel mensen die wel volgroeid zijn moeten iets overwinnen voordat ze een podium op stappen. Hun schroom maakt ze lomp. Hun onbeholpenheid wekt weerzin. Zij zijn het niet gewend bekeken te worden. Lemmy en Rosa wel.

'Laat het publiek zien dat je zin in ze hebt,' spoort Rosa hem aan. 'Ze willen niet alleen naar ons kijken, ze willen geloven dat hun blik ons goed doet. Breed grijnzen, dan houden we die illusie in stand.' Zolang ze lachen is hun aanblik beter te verteren, niet alleen voor de toeschouwers, die even vergeten dat zij hen eigenlijk maar eng vinden, maar ook voor Lemmy en Rosa zelf. Hij zegt: 'Guitig lachen terwijl je optreedt is zoiets als je neus dichtknijpen bij een slok castorolie: de kans is kleiner dat je kokhalst van de vieze bijsmaak.'

Tanden bloot. Dat is hun oplossing voor alles. Mensen lachen zoals apen, uit angst. Zo bepalen zij de pikorde. Zo verkennen zij op volle stranden en drukke markten de grenzen van hun territorium. Sinds het Lemmy is opgevallen, begrijpt hij niet dat hij het nooit eerder heeft gezien. Alleen door de hele tijd te lachen kunnen ze het met elkaar uithouden. In een winkel, wanneer zij een lastige bestelling doen of iets omstoten. Als ze ergens niet gepast kunnen betalen of iemand in de weg staan. Ze krullen hun mondhoeken op en laten – als een clown in de piste – hun schouders hangen, hoofd een tikje scheef. Iemand die glimlacht, sla je niet. Ze bollen hun wangen. Ze tonen hun kraaienpootjes: ik ben dan wel tot last maar toch ook leuk! Ze trekken een grijns die geen plezier uitdrukt. Ze lachen om zich klein te maken en zich te onderwerpen. In een zucht is het gebeurd. Verhoudingen zijn verschoven, werelden verwisseld. Ten teken dat de strijd voorbij is, aapt de overwinnaar de grijns van de onderworpene na. Zo staan ze tegenover elkaar. Te lachen. Het is geen vrolijkheid, het gaat om macht.

Het doet Lemmy denken aan de manier waarop hij mannen onder elkaar naar een mooie vrouw ziet kijken. Ze staren naar haar kont en rollen met hun uitpuilende ogen, niet omdat ze geraakt zijn door haar schoonheid, maar om de anderen te laten merken dat ze meetellen als man. Zodra ze voorbij is kreunen ze diep en kneden even hun kruis, niet uit verlangen naar haar, enkel ernaar smachtend door hun vrienden voor vol te worden aangezien. Zouden ze zo'n vrouw ooit in hun eentje tegenkomen, denkt Lemmy, dan zouden ze zich geen raad weten. Ze mochten eens vertederd raken, bewonderen, ontzag voelen, verliefd worden. Hun gevoel mocht de overhand eens krijgen. Wie weet zouden ze nog wel de moed kunnen vinden haar aan te spreken. Maar zo ver laten ze het niet komen. Ze schurken liever tegen elkaar aan, en passeert er iemand van het andere geslacht dan – oewahsjesuskijknoues – werken ze hun ritueel plichtsgetrouw af. Voor de zekerheid vergroten ze hun gebaren uit. En de rest van de mensen gelooft hen zoals ze geloven dat een mimespeler die met zijn handpalmen de lucht aftast, zit opgesloten in een benauwde ruimte. Omdat dit ooit in stilte zo is afgesproken. Lemmy begrijpt het niet. Iedereen kan er toch zeker moeiteloos doorheen zien? Daar staat geen muur. De mannen wrijven over hun geslacht omdat ze geen vrouw kunnen vinden die dit voor hen doet. De mensen lachen om anderen omdat ze zelf nergens plezier in durven vinden. Codes zijn het, meer niet, de luchtgevangenis, de geilheid en de grijns.

Om iemand als ik, denkt Lemmy, die als dijenkletser door het leven gaat, wordt altijd hartelijk gelachen. Als wandelende grap is je leven één lange hilarische spitsroedenloop. Je moet leren omgaan met alle vrolijkheid die je verschijning oproept, vooral wanneer die om te huilen is.

Kom voor het eerst onder de mensen en je merkt dat de reden van hun plezier altijd precies datgene is waarin jij anders bent dan zij. Zie daar de humor maar eens van in. En toch komt er een dag waarop je meelacht met de meute waar je niet bij mag horen. Om je hachje te redden. Zo begint het, weet Lemmy. Omdat je het zat bent dat er tegen je aan wordt getrapt. Om niet alleen als voetbal te worden gebruikt, maar een keer zélf mee te spelen. Plotseling doe je iets geks. Maakt niet uit wat. Daarmee ben je ze een stap voor. Ineens lijken de rollen omgedraaid. En daar ga je! Jij neemt de leiding. Je geeft ze leiding. Je geeft ze aanleiding om te lachen. Jij leidt! Eerst doe je iets, dan lachen ze, terwijl je het altijd andersom gewend was. Dat moment, dat voelt zo goed. Zo'n voorsprong wil je niet meer afstaan. En het mooiste is: voor het eerst weet je precies waaróm ze lachen. Je hebt immers iets leuks gedaan. Logisch dat ze plezier hebben. Je bént ook leuk. Het zou pas gek zijn als ze na capriolen zoals jij die uithaalt geen spier vertrokken. Voortaan heb je publiek. Het eet uit je hand. Daarin heb je het zelf getraind. Het doet wat je wilt omdat je het daarvoor beloont. Maar dat betekent niet dat je het kunt temmen. Het blijft onberekenbaar. Om het onder de duim te houden moet je het blijven voeren. Je moet blijven opvoeren. Onophoudelijk. In je overwinningsroes dacht je dat jij het was die de touwtjes in handen had, maar langzaam kom je erachter dat je, om de toeschouwers de baas te worden, jezelf hebt afgericht. Je bent een act geworden. En je publiek heeft de smaak te pakken. Het schreeuwt om meer. Je moet het voeren. Je voert het met jezelf. Je voert jezelf op. Je voelt dat je begint op te raken, maar er is geen weg terug. Het spektakel dat je van jezelf hebt gemaakt teert op jouw zelfspot. Je zit gevangen in de rol die je hebt aangenomen. Altijd lollig, vergeet je jezelf nog serieus te nemen. En kom je een keer in opstand dan denken mensen dat het erbij hoort. Wat moeten ze anders denken van iemand die altijd met zichzelf voor gek loopt? Maar houd je voet bij stuk en verdom je het verder de pias uit te hangen, zoals ze verwachten, dan worden ze vals. Mensen zijn net zo wreed als ze vrolijk zijn. Hun gesar is even uitgelaten als hun geschater. Wil je ze niet vermaken dan drijven ze je in het nauw en zodra je struikelt sluiten ze je in. Ze staan over je heen gebogen, tanden bloot, zoals apen voordat ze aanvallen. Nu gaat het ze enkel nog om de vernedering. Die plezierт ze. En als je die niet zelf teweegbrengt, dan doen zij het graag voor je. Je laat ze, want jij ligt

41

onder. Hoon verschaft – net als humor – de ontlading die voorkomt dat ze je verscheuren. Ten slotte krabbel je op. Je kiest eieren voor je geld en de rest van je leven speel je de rol die van je wordt gevraagd. Voortaan doe je, wanneer je een groep uitgelaten mensen aan ziet komen, maar alvast alsof je struikelt. In de hoop dat je tekortkoming je minder zal worden aangerekend wanneer je er zelf om lacht. Beter zelf gaan liggen dan wachten tot ze je neerleggen. En toch doet het meer pijn, omdat je jezelf niet langer kunt bedotten. Nooit kun je meer de illusie wekken dat jij het bent die in dit spel de leiding heeft.

Ach, mensen lachen toch wel. Ze kunnen niet anders. Dat is hun natuur. Het is niet persoonlijk. Is het niet om mij, denkt Lemmy, dan vinden ze wel iets anders. In de kroeg lachen ze om zich te verontschuldigen voor hun eenzaamheid. Bij hun gezin aan tafel om zich te verontschuldigen voor alle compromissen, in de armen van hun lief voor de onhaalbaarheid van hun beloften. Met hun kinderen lachen ze omdat ze hun dromen meegeven die ze nooit zullen waarmaken. En aan het eind van de dag trekken ze hun grimas nog een keer voor de spiegel om zich te verontschuldigen voor hun bestaan.

Maar dan, als al dat lachen is geleden?

'Wat dacht je,' zegt Rosa na een week repeteren, 'dat mensen straks naar onze optredens komen omdat ze zo van dans houden?'

Ze zijn gestopt en kijken elkaar aan in de spiegel. Armen nog in de lucht. Gevangen in een beweging.

'Waarom dan wél?' vraagt Lemmy. Hij wil dat ze het zegt. Ook al doet het pijn, hij wil het één keer uit haar eigen mond horen.

Frau Moncau, die nog aarzelend twee maten heeft doorgespeeld, sluit zachtjes haar pianoklep en maakt zich voor haar doen discreet uit de voeten. Tussen haar tanden fluit ze de intocht der gladiatoren.

Hun nummer zit. Dat merken ze deze ochtend voor het

eerst. Ze hebben het inmiddels zo in hun lijf dat ze zich er vrij in voelen en durven zwieren. Steeds zekerder, steeds losser. Nu ze niet meer over passen peinzen is er ruimte om meer van zichzelf te laten zien en krijgen de bewegingen karakter. Maar het zint Rosa niet, dat ziet hij wel. Er trekt zo'n rimpel tussen haar wenkbrauwen. Een tijd lang staat ze in gedachten, probeert wat passen uit en verzinkt weer in gepeins. Ten slotte wenkt ze hem en neemt zijn hand.

'Dit kunnen we,' zegt ze. 'Goed, dat weten we nu. Maar het is niet genoeg, Lemmy. Niet voor dit doel. Het spijt me.' Zij stelt enkele veranderingen voor in de choreografie in dienst van het komisch effect. Ze markeert ze zonder hem ook maar één keer aan te kijken. Dit is wat ze wil: meteen bij hun opkomst moet Lemmy doen alsof hij haar grote sprongen niet bij kan houden en die met kleine dribbelpasjes inhalen. Even later struikelt ze zelf een keer zogenaamd over haar eigen beentjes. Daarop moet hij met een klap tegen haar op lopen en in een koprol achteroverduikelen. Op de laatste maten, wanneer hij haar even kust en optilt, dient Lemmy haar uit zijn armen te laten glijden, alsof zij te zwaar voor hem is, zodat ze samen in een kluwen op de grond eindigen.

'Het spijt me,' herhaalt ze. 'We kunnen geen afwijzing riskeren. Niet nu onze vrijheid ervan afhangt.'

Dus maken zij zich de capriolen eigen die kleine mensen eeuw na eeuw van elkaar hebben afgekeken. Verdacht, denkt Lemmy, hoe snel zulk buitelen inslijt. De kippendraf, het afploffen en hotsebotsen gaan hem maar al te goed af. Rosa's lach spoort hem daarbij aan. Grappig zijn is een gedeeld geluk; je kunt het niet in je eentje. Dus maakt hij er een sport van haar aan het lachen te krijgen. Na een uurtje oefenen oogt zijn potsierlijkheid heel natuurlijk wanneer hij tegen Rosa op poft en zich omver laat kegelen. Iets té natuurlijk. Waar komt dat gemak vandaan waarmee hij in die rol glijdt? Pas op het einde van het nummer ziet hij het, wanneer hij Rosa optilt, en moet doen alsof zijn kleine handen haar niet kunnen houden. Bij het instuderen van hun onhandigheid heeft hij niet één keer in de spiegel gekeken en nu weet hij waarom! Vanuit zijn ooghoeken ziet hij ze voorbijkomen: zijn vader en zijn moeder. Achter het glas walsen ze door de parallelle ruimte. Alsof het de normaalste zaak van de wereld is: eerst even elegant, plots strompelstruikelend, en hup: daar liggen ze, benen spartelend in de lucht. Daar kent hij het allemaal dus van, dat overeind krabbelen met groot misbaar. Die verloren blik. De gespeelde beteutering. Hij kijkt zichzelf aan.

'Ja, ja mensen, zo zie je...' Hij haalt zijn schouders op, verontschuldigend, hoofd een beetje schuin, zoals zijn vader deed in iedere conference, één tel voor het plaatsen van de pointe: 'Zelfs een dwerg moet klein beginnen!'

Lemmy verstart. Het gaat niet verder, wat hij ook probeert. Optillen kan hij Rosa nog, maar haar laten vallen, nee. Hij zegt het ook: 'Ik kan het niet,' maar dat lijkt zij niet te horen.

'Dacht je dat we voor de Ballet Russes gaan auditeren?' Ze probeert zich uit zijn greep los te wurmen, maar Lemmy wil niet loslaten. Nog niet. Niet nu. 'Dat mensen hun goeie geld zullen neertellen om ons gewoon te zien dansen?' Ze trappelt met haar benen. Met haar vuisten slaat ze op zijn armen, haar hoofd afgewend, kwaad omdat ze huilt.

'Waarom zouden ze dan komen, Rosa?' Voorzichtig zet hij haar op de grond. 'Waarom? Waarom?'

'Gewoon,' snikt ze. 'Om te worden vermaakt.'

Annie Jones had een baard. Zij verdiende haar geld bij Barnum & Bailey's als bezienswaardigheid. Sinds jaar en dag stond ze daar geafficheerd als freak. Op een ochtend bleef ze weg. Ook andere menselijke attracties kwamen niet opdagen. Ze staakten. Annie had een protestbijeenkomst van tentoongestelde mensen georganiseerd. Zij wilden niet langer worden uitgemaakt voor freaks en vergaderden over een nieuwe term. Unaniem besloten ze dat ze voortaan *wondermensen* wilden heten. Ze kregen hun zin. De reclameborden werden overgeschilderd en de volgende dag zaten ze weer te kijk.

Lemmy herinnert zich het ontzag waarmee zijn ouders haar naam uitspraken. In hun wereld was Annie Jones een heldin, de enige die ooit voor hun rechten was opgekomen. Op feestdagen werd haar verhaal verteld om elkaar een goed gevoel te geven, en zat alles tegen dan rakelde zijn vader haar actie op omdat hij er hoop uit putte.

'Maar waarom protesteerde ze alleen tegen de naam,' onderbrak Lemmy hem een keer, 'en niet tegen het feit dat ze werd tentoongesteld?' Zijn vader verkilde. Half verbaasd, half verwijtend keek hij zijn zoon aan, en zonder antwoord te geven liep hij weg. Lemmy heeft er nooit op terug durven komen, maar dit is altijd aan hem blijven knagen: waarom heeft Annie Jones haar baard niet gewoon afgeschoren? Eén bezoek aan de barbier en ze had het normale leven binnen kunnen wandelen.

'Is dat dan nog steeds waar jij van droomt?' vraagt Rosa die avond. 'Normaal te zijn?'

Ze liggen in bed. De lamp is uit. Het is makkelijker jezelf onder ogen te komen wanneer je niet te zien bent.

'Groot?'

'Gewoon.'

'Een gewoon leven... Nee, ik denk niet dat ik dat op zou kunnen brengen.'

Het blijft stil, minutenlang, maar haar snelle, hoge adem verraadt dat ze niet slaapt.

'Ik heb besloten er het beste van te maken,' verklaart ze ten slotte. 'Op een dag. Lang geleden. Zodra ik doorhad dat gewóón voor mij niet haalbaar was, dat zo veel dingen onhaalbaar zouden zijn, heb ik besloten tot het beste. En dat wil ik ook voor jou.'

Ze liggen zij aan zij. Hij zou haar hand zo kunnen pakken.

'Ik kon maar twee oplossingen bedenken. Toen. Me voor de nieuwsgierigheid van de mensen verbergen. Me voor ze weghouden. Voorgoed. Of het tegenovergestelde. Me aan ze

45

laten zien. Dat leek mij moedig. Laten zien dat ik er ben. Dat ik iets kan. En wat ik kon was uitzonderlijk. Ik wist mensen aan het lachen te krijgen. Mij leek dat een uitweg. Zodra ze lachten veranderde hun spot in bewondering. En dat had ik zelf in de hand. Eindelijk iets waarin ik ze de baas was. Ik kon hun nieuwsgierigheid manipuleren. Door iedereen duidelijk te laten zien waarin ik anders was. Ik durfde dat. Ik wel. Dat leek mij van mezelf zo sterk. Maar nu? Ik weet het niet. Voor hetzelfde geld zit ik ernaast. Vanaf het toneel lijkt de wereld me nu eenmaal vriendelijker. Is dat zo anders dan wat jij doet, Lemmy, in je hoofd, door altijd alleen maar het beste te willen geloven? Ach, wie weet? Misschien heb jij gelijk. Misschien ís humor laf. Als ik me toch voorstel wat een moed ervoor nodig zou zijn om je aan al die blikken te onttrekken...'

Niets wil Lemmy liever dan haar hand pakken, omrollen en zich tegen haar aan drukken, haar laten voelen dat ze één zijn, maar hij kan het niet. Niet op dit moment. Even nog wil hij alles kunnen zijn, al zijn mogelijkheden openhouden. Alsof hij bang is dat hij door haar aan te raken zichzelf zou afbakenen. Verstijfd ligt hij naast haar. Alsof zij het is die hem bevestigt in wat hij is, hem beperkt tot niet meer dan dat ene: een dwerg.

'Maar die moed...' fluistert Rosa. 'Ik weet bij god niet waar ik die nog vandaan zou moeten halen. Ik geloof dat ik het tot nu toe als één groot spel heb gezien. Ik tegen de groten. Maar zonder iets te vragen hebben zij de inzet veranderd en ineens speel ik om mijn leven.' Even is ze stil, als een atleet voor een sprong.

'Lemmy, ik wil hier weg. Een andere kans dan deze zie ik niet. Gun me die.'

Hij slaat het dek op en zegt dat ze zich om moet draaien. Een tijd lang streelt Lemmy haar rug en wrijft de spanning weg. Waartegen ziet hij nu eigenlijk het meest op? Om meer kracht te kunnen zetten gaat hij op haar billen zitten en masseert de spieren langs haar ruggengraat met zachte draaiende bewegingen.

'Gewone mensen,' zegt hij, 'hebben zoveel te verliezen, hun geluk, hun aanzien, hun gezondheid. Daarom zijn ze bang. Wij hebben van jongs af aan geleerd door te leven zonder al die dingen.' Steeds dieper kan hij in de spieren doordringen, losser voelt haar huid. 'Dat hebben wij op anderen voor. Gewoon de straat op gaan is voor iemand als jij en ik al zo gevaarlijk. Als je dat eenmaal hebt gedurfd, waar zou je dan nog bang voor wezen?'

Onder zijn vingers zucht Rosa alsof ze het leven uit zich laat ontsnappen, en langzaam draait ze zich om.

6

Op een meinacht rond twee uur sprongen aan de Poort van de Hel een paar gloeilampen. Dat de ramp uitgerekend bij deze attractie begon is later door diverse predikanten aangevoerd als bewijs dat God de inwoners van Dreamland wilde straffen voor hun vrolijke zorgeloosheid. Het lampgas vervloog met een steekvlam, waar enkele werklui zo van schrokken dat ze een emmer teer omverliepen. De teer ontbrandde, droop over de planken en sijpelde door de naden. Binnen drie minuten stond de hele Hel in lichterlaaie. De wind wakkerde het vuur aan, dat zich snel verspreidde door de tengel en het pleister waaruit het park was opgetrokken. Toen het de toren in zijn greep kreeg waren de vlammen te zien tot in New Jersey. De wereld zoals Lemmy die kende brandde achttien uur.

Vuur vreet klein en groot even gretig, alleen naar verhouding laaide het in Lilliputia hoger op. De houten huizen waren zo weg. Die ene keer dat de kleine brandweerlui niet voor de show uitrukten stonden ze machteloos. De paniek was groot, want zodra de vestingmuur, die uit papier-maché was opgetrokken, vlam had gevat zaten de dwergen ingesloten. Na alarm te hebben geslagen en zich ervan te hebben verzekerd dat iedereen op straat was, besloot de commandant zoveel mogelijk van hen op zijn ijzeren wagen te laden. Aan alle kanten klauterden mensen tegen de laadbak op. Ouden van dagen werden door hun kinderen opgetild, kinderen door hun ouders omhooggehouden in de hoop dat iemand ze aan zou pakken. In dit gewoel raakte Lemmy van zijn moeder gescheiden. Met haar kromme knieën was ze er niet snel genoeg bij. Algauw was er geen plaats meer en kreeg Lemmy een kletsnatte deken toegeworpen, waaronder hij moest wegkruipen. Hij klampte zich vast aan de ladder zodra de wagen zich in beweging zette, eerst iets achteruit, zoals de leeuwen van Boniviture terugweken voor de brandende hoepel om een grotere aanloop te kunnen nemen. Toen werd er gas gegeven en stormden zij in volle vaart vooruit, dwars door de muur van vlammen. Er werd gegild. De hitte sloeg als stoom van zijn deken, maar zodra hij erdoorheen was keek Lemmy op. Hier zag hij zijn moeder voor het laatst. Ook zij had een natte deken omgeslagen en probeerde de anderen met haar korte benen bij te houden, maar in het kielzog van de wagen wakkerden de vlammen aan, en zij deinsde terug.

Na anderhalve dag waren de resten zo ver afgekoeld dat overal kon worden gezocht. Ieder uur werden er nieuwe vondsten naar het strand gebracht. Van alles zat ertussen, maar van Lemmy's moeder geen spoor.

Voortaan zwaaide hij met twee armen naar de sterren.

'Dat krijg je ervan!' bromde zijn grootmoeder toen ze hem kwam ophalen. Grootmoeder is zwak uitgedrukt, Lemmy's oma was enorm. Bijna zo breed als ze lang was. Ze had een boezem als een overhangende klif, waar ze helemaal overheen moest turen om de jongen aan haar voeten te zien staan. '*Trouw dwergen met dwergen en ze baren een duimling.* Zo staat het in de Talmoed. Laat niemand zeggen dat ik niet heb gewaarschuwd!' Zij had een centimeterlint om haar hals hangen. Lemmy dacht dat ze hem daarmee wilde opmeten, maar dit was haar gereedschap en ze droeg het altijd bij zich.

Grootmoeder herhaalde zijn naam een paar keer, alsof ze die wilde uitproberen. 'Lemuel, Lemuel, nou ja, vooruit.' Ze nam hem op haar ene arm, zijn tas onder haar andere. 'Zit je, Lemuel?' Ze sloeg tegen haar dij. Zo spoorde ze zichzelf aan. Haar lichaam kwam in beweging, deinend, puffend, alsof het met tegenzin gehoorzaamde. De jongeman klampte zich er uit alle macht aan vast.

'Wat mummel je?' vroeg ze.

'Niks, oma, ik prijs God omdat hij alle mensen anders heeft gemaakt.'

Halverwege Brooklyn Bridge zette zij Lemmy neer en wees in de richting van haar huis. Ze woonde dus helemaal niet ver, zoals hem altijd was verteld, maar net over de rivier. Al die jaren had ze hem met gemak kunnen bezoeken. Lemmy klampte zich vast aan de reling van het wandeldek. Door het plankier zag hij automobielen onder zich voorbijschieten. Hij deed alsof hij nog wat wilde blijven kijken naar de wolkenkrabbers aan de overkant. Nooit had deze vrouw hem willen zien en nu zat ze alsnog met hem opgescheept. Alleen door in zijn hoofd te blijven herhalen dat er geen weg terug bestond haalde Lemmy het tot de tweede pijler. Rijk was ze niet, dat klopte wel. Grootmoeder huurde twee kamers boven een schildersbedrijf op de hoek van Orchard en Delancey. In de voorste woonde ze. De achterste lag vol kleren waaraan ze nog moest werken en oude stalen waaruit ze jurken naaide die ze op zaterdagochtenden probeerde te slijten op Union Square. Op kleur, patroon en kwaliteit lagen in de benauwde ruimte stoffen opgetast, bergen weefsel waar Lemmy amper overheen kon kijken. Daartussen had zij uit kapok en schoudervulling een zacht matras voor hem gemaakt. De eerste nachten sliep hij nauwelijks. De lucht was altijd zwaar van vezels en uit het atelier beneden dampten olie en vlagen terpentine. Lemmy hield zijn raam open. Vanaf de vensterbank had hij zicht op de grote stad. Uren tuurde hij naar de koplampen die in oneindige rijen de East River overstaken, naar verre silhouetten in de tramwagons en de

49

mensen achter de ramen van het flatgebouw twee blokken verder. Als hij één oog dichtkneep en tussen duim en wijsvinger gluurde voelde het alsof hij ze zo op zou kunnen pakken.

Grootmoeder zat zowat op zijn lip. Hij probeerde haar niet voor de voeten te lopen, maar daarvoor woonden ze te krap. Deed zij verstelwerk dan ging hij naar voren, als ze kookte bleef hij in de achterkamer, maar aan tafel waren ze tot elkaar veroordeeld. Ze aten voornamelijk zwijgend, zeker de eerste weken. Dan zaten ze voorovergebogen, opgelaten, turend naar hun bord, alsof daar door aandachtig prakken iets van groot belang ontstond. Hij dacht soms dat ze expres zweeg, om ontzag te wekken, maar als hij opkeek zag hij wel dat ze niet anders kon. Zij had al zo lang voor niemand meer een vriendelijk woord nodig gehad dat ze er nu geen meer kon vinden. Uiteindelijk vermande ze zich wel, maar zelden voordat ze waren uitgegeten en dan nog alleen omdat ze het nu echt te gek vond worden.

'Jij,' beet ze hem de allereerste avond toe, bars van onmacht, 'wat heb jij aan je ogen?'

'Niks. Ze jeuken steeds.'

'Misschien heb jij gehuild?' Het leek wel of ze die laatste klinkers loeide, zo sleepten ze, alsof zij ze nog altijd uit de Poolse modder moest trekken. Ze hield haar hoofd wat achterover om hem te bekijken door haar bril, die ze alleen gebruikte voor haar werk maar altijd op haar neus hield.

'Het is de wol, grootma. Die pluist. Meer is het niet.'

'Huilen is voor mensen die nooit iets hebben meegemaakt. Papkinderen, slapzuigers! Die laten zich door het leven verrassen. Daarom huilen ze.' Ze snoof diep en keek van hem weg, alsof ze zich voor het volgende eerst bijeen moest rapen. 'Jij en ik, wij zijn tenminste voorbereid.' Ze streek met haar hand langs haar haren, draaide een losgeraakte lok rond haar vinger, en stak hem terug achter haar knot. Toen knikte ze ten teken dat alles gezegd was. Op zijn kamer rilde Lemmy van opluchting dat de beproeving voorbij was, maar na verloop van tijd bekroop hem het gevoel dat ze misschien iets aardigs had bedoeld.

Hoeveel ruimte mensen ook innemen, het wil niet zeggen dat je ze ook goed ziet. Lemmy kreeg het idee dat zijn grootmoeder eigenlijk in dat enorme lijf was zoekgeraakt. Dat ze van die hele pantserkruiser alleen maar de stuurman was. Een stipje op de brug, dat niet meer wist hoe ze haar aanwezigheid anders kenbaar kon maken dan door het hele gevaarte op je af te koersen. Het kleinste gebaar, de beste bedoeling kon tot een aanvaring leiden. Daar zou hij nooit aan wennen, maar na verloop van tijd begreep hij wel dat zij zelf verdriet had om hoe log ze was geworden in haar eenzaamheid, zo vastgeroest en weinig wendbaar. Haar voortdurende pogingen hem de deur uit te jagen zullen ook wel voor zijn bestwil zijn geweest. Grootma was als de dood dat zijn beschermde jeugd in wat zij met een vieze trek rond haar mond 'dat fantasieland' noemde, Lemmy onvoldoende gestaald had voor het echte leven. Zijn tekort was daar altijd een bron van bewondering en vrolijkheid geweest, zei ze, waardoor hij nooit geleerd had zich teweer te stellen tegen de hoon die doorgaans alles wat bijzonder is ten deel valt. Zij had zich in het hoofd gezet dat het hem goed zou doen te worden blootgesteld aan het oordeel dat gewone mensen vellen over iedereen die afwijkt, niet voorzichtig, daar geloofde zij niet in, maar met een schok. Het idee was dat een plotselinge onderdompeling in het echte leven Lemmy er in één klap tegen zou wapenen, zoals men in hoogovens gloeiend ijzer hardt door het te laten schrikken in ijswater.

'Het is tijd dat jij onder de mensen komt.'

'Onder ze ben ik al,' riep hij, en hij weigerde de boodschappen te doen waar ze hem om stuurde. Als ze hem op zaterdag mee de stad in wilde nemen hield hij vol dat hij ziek was. Het idee alleen al maakte hem misselijk, maar voor de duidelijkheid stak hij zijn vinger in zijn keel en braakte op grootmoeders overjas. En hij miste zijn moeder. Stilaan moest hij toegeven dat ze niet meer ergens zou opduiken, al hield hij stiekem hoop.

'Onzin,' zei grootmoeder toen hij zich dat liet ontvallen. 'Die is weg en die blijft weg. Wen er maar aan.'

Lemmy beet op zijn lip.

'Vind je me wreed?' Ze zette een pruilstemmetje op, spottend, alsof ze het tegen een baby had. 'Vind je dat een oma zoiets niet mag zeggen? Mooi. Word maar boos. Alleen door net zo kwaad te worden als het leven zelf maak je een kans. Iedereen verliest zijn moeder, jongen, alleen een enkeling verliest zijn kind. Ik heb er vroeger al eens twee verloren, lang geleden. Jouw moeder is nummer drie. Meer zijn er niet. Dat was het dan. Ik weet dus waar ik het over heb. Na de eerste twee heb ik doorgeleefd. Misschien kan ik dat nu weer. Als ik er een dikke punt achter zet. Maar het idee dat ze ergens ligt, dat ze nog ergens rondloopt, God weet...' Ze sloeg met haar vuist op tafel. 'Hoop doet leven, zeggen ze. Dat liegen ze! Ik heb hoop gehad. En ik heb hem weer moeten laten varen.' Ineens zweeg ze, maar niet omdat ze klaar was. Lemmy zag haar gewoon in zichzelf wegzinken, overspoeld, ten onder in gedachten. Het drong tot hem door dat hij nauwelijks iets over haar leven wist. Zijn eigen grootmoeder! Hij kon alleen maar raden wat daar voor haar ogen de revue passeerde. Ze hapte naar adem en keek hem aan, licht verwonderd, alsof ze hem niet verwacht had. Ze nam zijn hand alsof ze die wilde houden.

'Anders zou het toch geen enkele zin hebben dat mensen doodgaan, Lemmy, als het niet was om ons te laten voelen hoe het leven in elkaar steekt?'

Hij had er de pest over in dat het hem nooit lukte boos op haar te blijven. Zodra zijn schrik wegebde hield hij steeds het gevoel dat haar spervuur niet op hem gericht was, maar tegen een gezamenlijke vijand, ergens in de verte achter zijn rug waar hij hem niet kon zien. Daarom en om van het gezeur af te zijn besloot Lemmy op een dag haar tegemoet te komen. Hij daalde af naar het schildersbedrijf op de begane grond en bood zich aan. Naast de baas, die hij wel in het trappenhuis ontmoet had, werkten er twee van zijn zoons, die niet te zeer door Lemmy's gestalte verrast leken. Heel vanzelfsprekend timmerden ze tussentreden op een ladder zodat hij in de hoogte kon werken, gaven hem een pot kwasten en een oud overhemd als schildersjas. Het werd zijn taak grote vlakken in te kleuren die zij op metershoge panelen hadden uitgezet. Het atelier stond vol met dergelijke borden. Ieder bord was anders beschilderd, maar van geen zag Lemmy wat het moest voorstellen. Zes dagen werkten ze zo. Op de zevende werd alles op een vrachtwagen geladen. Hij stond erbij, klaar om de broers uit te zwaaien en dan binnen de boel aan te gaan vegen, maar ze wenkten ongedurig van achter het stuur en hielden het portier voor hem open.

Ze reden naar een groot theater aan Times Square, op de hoek van 7th Avenue en 46th. Op het dak was een katrol waarover de panelen een voor een werden opgehesen tot halverwege het gebouw. Terwijl onder hem de broers de losse delen aan de pui monteerden diende Lemmy als tegenwicht. Toen dit gedaan was kwamen zij naar boven, snoerden hem in een leren riem, hingen een paar potten verf om zijn nek, stopten hem een kwast in de hand en lieten hem zakken aan een touw. Het bleek zijn taak de nieuwe schroeven en bouten die door het schilderwerk staken aan te stippen en op te lappen, bungelend aan de gevel. Zijn werkelijke talent voor deze baan school in zijn gewicht, dat dit deel van de klus voor de broers aanzienlijk verlichtte. Lemmy hing op zijn gemak. Iemand als hij, die kind aan huis geweest was op de Cyclone, de achtbaan met de grootste vrije val ter wereld, had van hoogtevrees geen last. Als hij naar beneden keek zag hij op het plein duizenden mensen krioelen. Het idee dat zij hem ook konden zien, terwijl hij zo halverwege de hemel bungelde, maakte dat hij zijn kwast met grotere zwier begon te hanteren, steeds eleganter naarmate hij meer ogen in zijn rug voelde, alles om zijn publiek te plezieren. Wanneer hij zich van paneel tot paneel moest verplaatsen zwaaide hij als een trapezeartiest, touw om pols en enkel gewikkeld, de vrije arm triomfantelijk gestrekt.

Toen het werk gedaan was namen de broers Lemmy mee naar het midden van het plein. Hij keek omhoog en bezag zijn werk. Vrijwel de gehele gevel ging schuil achter de gulle lach van een jonge vrouw. Naast haar gezicht, van kin tot kruin een meter of dertig, hield zij een stuk Lux, de zeep die haar zo fris en vrolijk maakte. Een vrouw zo reusachtig dat je haar onmogelijk kon missen. Zij hadden haar zelf aangebracht en toch was het Lemmy niet gelukt haar te ontdekken toen hij de panelen schilderde. Zelfs net was ze hem nog ontgaan toen hij met zijn neus tegen haar aan hing. Een idioot voelde hij zich, want tegelijk begreep hij dat zijn capriolen daarboven voor voorbijgangers ook nauwelijks te zien waren geweest en hijzelf kon niet meer hebben geleken dan een gaatje in haar ivoren glimlach. Je kunt dus niet alleen te klein zijn om gezien te worden, zei Lemmy tegen zichzelf, maar ook te groot. Je hebt geen idee hoe het zit totdat je afstand neemt.

Lemmy stond op straat, verbijsterd, terwijl de broers hun auto ophaalden. Eerst durfde hij amper rond te kijken. Tot hij merkte dat men hem met rust liet. Links en rechts raasde het verkeer. Op de trottoirs haastten mensen zich naar huis, nietige verschijningen aan de voet van de wolkenkrabbers. Reizigers die uit de gaten van de metro stroomden omzwermden hem. Maar kijken, ho maar! Ze stapten om hem heen zoals je uitwijkt voor een brandkraan of een stapel kranten. Als een vis die aan land gebracht wordt had Lemmy opgezien tegen zijn confrontatie met de grote stad. Bang buiten zijn vertrouwde element op te vallen en door iedereen te worden nagewezen, had hij geen rekening gehouden met het tegenovergestelde. In Lilliputia was hij gewend het middelpunt van ieders plezier te zijn, hier besteedde geen levende ziel aandacht aan hem. En als iemand hem al eens opmerkte keek diegene altijd snel weer weg, over Lemmy heen, alsof hem niets was opgevallen. Alsof aan het hele fenomeen van dwerggroei niets bijzonders was. Dat heeft hem altijd het meeste pijn gedaan. Mensen die van het aparte zo schrikken, dat ze het ontkennen; die hopen dat het abnormale vanzelf zal verdwijnen wanneer ze het maar stug negeren. Verloren stond Lemmy daar, ongezien, en hij miste het vermaak, want juist dat had hij in de loop der tijd met veiligheid verweven.

Thuis haastte hij zich naar boven, vol van zijn avontuur. Behendig hees hij zich van tree naar tree, zo snel hij kon, om grootmoeder hierover te vertellen. Toen hij de deur opengooide zat Sam Gumpertz tegenover haar. Lemmy was dolblij hem te zien, iemand met wie hij zijn verleden deelde. Maar die vreugde was niet wederzijds. Betrapt keken ze. Alsof hij hem onder haar rokken zag zitten in plaats van aan tafel. Het gesprek ging over hem, zoveel begreep Lemmy wel.

'Is het mijn moeder?' vroeg hij. 'Is ze terecht?'

Dit verwarde hen nog meer.

'Maar jongen...' stamelde Gumpertz. 'Je weet het toch?' Zijn blik zocht steun bij grootmoeder.

'Feiten, daar heeft hij moeite mee,' onderbrak zij hem gestoken. 'Dat een mens praktisch dient te zijn om het leven de baas te worden, zeker als je, helemaal wanneer je...' Ze wendde zich af om koffie te zetten. 'Nu ja, zeker hij.'

Gumpertz was erg vermagerd. De verwoesting van zijn park had hem berooid en aangetast. Hij had vastgezeten op verdenking van nalatigheid en dood door schuld, maar was uiteindelijk vrijgesproken. Wanneer hij sprak wiegelde zijn hoofd, alsof het voor zijn nek te zwaar was. Lemmy vroeg naar mensen die hij gekend had. Alleen het noemen van hun namen deed hem al goed. Hij wilde weten wat er van ze was geworden. Soms wist Gumpertz het, meestal niet. Een aantal van hen had nieuw emplooi gevonden, circussen, variété; Tiny MacFarland was naar Hollywood vertrokken.

'Onbeschermd...' zuchtte Gumpertz. 'Ik bid maar dat ze het halen. Vast wel. Vast wel. Altijd is het me gelukt de wereld naar jullie toe te brengen en nu moeten jullie er zelf op uit.'

Grootmoeder trok een grimas ten teken dat Lemmy de oude man niet verder in verlegenheid moest brengen. Ze zette zijn kopje voor hem neer. Ze zwegen. Gumpertz schepte suiker en roerde. Lange tijd was er alleen het tikken van zijn lepel.

'En daarom hebben je grootmoeder en ik', hij rechtte zijn rug, 'besloten...'

'...voor jou,' vulde zij aan. 'Je bent er onder je eigen mensen.'

'Dat het goed zou zijn...'

'...voor jou. Van kost en onderdak verzekerd. Een vaste gage, elke week. Alles wat ik jou nooit zal kunnen geven...'

'...je zult de wereld zien. Overal zul je bewonderd worden...'

Diezelfde week vertrok Lemmy. Grootmoeder bracht hem naar Grand Central. In de marmeren hal, hoog als een kathedraal, werd hij voorgesteld aan de andere leden van het gezelschap. Een enkeling kende hij uit Gumpertz' stal. De meesten spraken echter Duits. De heren hadden wandelstokken, de dames droegen bont. Leren valiezen en hoedendozen lagen opgetast op het perron. Boven op een hutkoffer zat een meisje onder een kanten parasol. Platinablond poseerde ze voor een groep fotografen. Zij had de benen van een danseres en toonde ze trots aan de camera's. Routineus gleed ze van de ene pose in de andere. Dit moest voor haar dagelijkse kost zijn. De troupe waartoe ze behoorde was beroemd. MÄRCHENSTADT LILLIPUT stond er in kleurige letters op alle bagage. Lemmy had al foto's van hen in de krant gezien. Het waren Duitse dwergen die na '14-'18 hun terrein hadden verlegd en sindsdien over de hele wereld triomfen vierden. Hun rondtrekkende stad was al een begrip in Azië, Australië en Zuid-Amerika. Nu stonden ze aan de vooravond van de tournee die hen van kust tot kust door Amerika moest brengen. Ze waren een voorbeeld voor alle kleine mensen. Zo vol was hij van het idee dat hij een van hen zou worden, dat Lemmy nauwelijks stilstond bij het afscheid.

'Onthoud één ding, Lemmy,' zei grootmoeder toen hij aan

boord moest. 'Als hun kleren te ruim zitten brengen mensen ze bij mij. Ze betalen me om ze te vermaken: hun jassen, hun jurken, broeken, bustehouders, allemaal te groot. Of ik ze wil innemen, omzomen, ophalen. Waarom vragen ze mij dat? Ze zouden dat probleem zelf kunnen oplossen, gratis en voor niks, door veel en vet te eten, net zolang tot ze in de gewenste maat groeien, maar geen zinnig mens doet dat. Het is de omgekeerde wereld. Mijn klanten passen zich niet aan hun kleren aan. Natuurlijk niet. Zit hun iets niet lekker dan laten ze het mij omspelden naar hun eigen model. Wou jij het anders aanpakken? Goed, het leven zit jou niet gego- ten. Het zit jou zo ruim, je zou er nog in verdwalen. Is dat een reden om aan jezelf te tornen? Als je mouwen te kort zijn, hak je dan je handen af zodat je jasje beter zit? Ben jij besodemieterd? Snij het leven op maat, jongen! Is de wereld je te groot, vermaak hem!'

7

'U hebt ingevuld dat u de Duitse nationaliteit bezit.'
'Mijn Amerikaanse paspoort heb ik opgegeven.'
'Waarom in hemelsnaam?'
Lemmy haalt zijn schouders op.
'Uit liefde.'
'Ach toch,' verzucht de arts, 'altijd weer die liefde! Ja, zon- der haar hadden wij hier niet gezeten!' Hij knikt. 'U kunt zich uitkleden.'
'Mijn vrouw...'
'Volledig in proportie, nietwaar, net als u? Komt voor, maar zelden een paartje.' Hij bladert door het pak formulie- ren dat Lemmy heeft ingevuld. 'Geen nakomelingen. Jam- mer, zou interessant zijn 's te zien wat ervan komt.'
'Het variétégezelschap waartoe zij behoorde kwam hier vandaan.'

'Spijtig, nietwaar, hoe dat gelopen is.'

'We ontmoetten elkaar tijdens de Amerikaanse tournee. Toen de groep naar Europa terugkeerde...' Lemmy schuift een stoel naar de muur en klautert erop om zijn kleren over het haakje te hangen. 'Alleen Duitse ingezetenen mochten mee. We waren verliefd. Het leek zo simpel. Op dat moment wist niemand...'

'Natuurlijk niet, dit kon geen mens voorzien. Het is toch wat. En nu kunt u geen kant meer op!' De arts zakt even door zijn knieën om Lemmy's genitaliën te bestuderen, recht dan zijn rug en roept: 'Volmaakt!' Hij klapt in zijn handen. Een assistent komt binnen met een filmcamera. Hiermee worden alle bewegingen vastgelegd die Lemmy maakt terwijl hij staande op de onderzoekstafel oefeningen doet en opdrachten uitvoert.

Het instituut voor erfelijke biologie ligt een eind bij de andere universiteitsgebouwen vandaan, omgeven door bloembedden en proeftuinen aan de rand van een woud. Veel van wat Lemmy op weg daarheen moest overwinnen, verloor zijn dreiging toen hij langs een vlinderkas en bloeiende rozen de hoofdingang naderde en de portier het kaartje overhandigde dat hij al die tijd in zijn broekzak had gehouden.

'Ach,' riep de man, 'dat zal de mensen hier recht deugd doen!'

Hij is gekomen om Rosa vanavond te kunnen verrassen. Na hun aanvaring en de gesprekken in de nacht besloot hij alles te doen om van de auditie een succes te maken. Hoe groot zijn twijfels ook waren, ze golden hemzelf; háár zielenrust mag hij daarmee niet in gevaar brengen, laat staan (stel dat haar angst terecht blijkt – God verhoede) haar veiligheid. Wat kost hem tenslotte nou helemaal een koprol?

Deze ochtend stond ze voor de spiegel, Rosa, beteuterd, omdat wat zij aan jurken nog overheeft zo vaal oogt en zo verlopen. Ze koos de beste uit, dofte zich op en showde die – 'Ta-da!' – als haar kostuum voor de auditie. Het droevige lachje dat ze daarbij trok alleen al! Lemmy wist meteen wat hem te doen stond. Zodra zij naar boven ging om zijn rokkostuum uit de mottenballen te halen, heeft hij een van de jurken achterovergedrukt en naar een kleermaker in de jodenwijk gebracht. Hij heeft stof uitgezocht, glimmend gele zijde, en als diamant geslepen steentjes om de hals mee af te zetten. Dezelfde avond nog kan hij hem ophalen, zelfde model, maar dan in de rug wat dieper uitgesneden. Vanwege de ongewone maten is het patroon prijzig, maar een aanbetaling volstond, de rest te voldoen bij levering. Dit bedrag is Lemmy nu aan het verdienen op het instituut. Zo veel durf heeft hij dus in zich. Ondermens, wondermens, maakt het dezer dagen nog iets uit? Natuurlijk, verzekert hij zichzelf, het geld is zijn belangrijkste drijfveer.

In deze tijd kan iemand als Lemmy nergens anders zo zeker van verdiensten zijn. Maar nieuwsgierig is hij ook. Hij speelde al een tijd met de gedachte deze uitdaging aan te nemen, en vanaf het moment dat hij had besloten te gaan, overheerst een gevoel van trots, een verlangen om juist de lui die hun stad hebben ontruimd eens te tonen hoe sterk hij kan zijn. De laatste twijfel ten slotte verdween bij de gedachte aan het gezicht dat Rosa zal trekken wanneer hij straks met zijn verrassing thuiskomt. Dit houdt hem alle experimenten lang vrolijk.

Het verbaast hem hoe weinig moeite het hem uiteindelijk kost als studieobject te fungeren. Hoe zonderling de situatie ook is, de vernedering die hij verwacht blijft uit. Wat is het verschil tussen optreden voor publiek en deze tentoonstelling, behalve dat hij hiervoor geen kostuum draagt? Na de lunch, bijvoorbeeld, wordt hij in zijn volle glorie getoond aan enkele studenten. Zij nemen Lemmy nog eens uitgebreid de maat en testen de soepelheid van zijn gewrichten. Ze luisteren naar zijn hartslag, bediscussiëren zijn uiterlijk en informeren naar de meest intieme zaken. Al die tijd voelt hij nauwelijks gêne.

Het onderzoek neemt hem volledig serieus. Het erkent

dat hij anders is. Dat is het uitgangspunt. Ondubbelzinnig. Dit is nieuw voor hem. Niemand die hem observeert draait eromheen dat apart zijn een probleem is. Zij gaan met hem aan de slag omdat ze het fenomeen dat hij is, willen doorgronden. De drijfveer van Lemmy's publiek is altijd tegenovergesteld geweest. Niet het verschil intrigeerde de mensen die zijn dwergstad bezochten, maar juist alle overeenkomsten. Het grootste plezier putten bezoekers uit het feit dat de bewoners in alles zo sprekend op hen leken, maar dan in miniatuur. Juist omdat de kleine mensen zo ontzettend hun best deden hetzelfde te zijn als iedereen en daar dan grotesk in tekortschoten, rilden de toeschouwers van opluchting, terwijl het tot hen doordrong hoe zij bij de loterij van hun conceptie maar ternauwernood aan een leven als dat van Lemmy en de zijnen waren ontsnapt. Hiervoor betaalden ze grif, want de confrontatie met andermans ongeluk verzoende hen weer even met de tekortkomingen van hun eigen bestaan.

Niets van dat al bij de studenten. Lemmy feliciteert zichzelf al met dit makkelijk verdiende geld als blijkt dat er nog bloed moet worden afgetapt, acht ampullen vol, en hem gevraagd wordt een zaadmonster af te staan en een test te ondergaan in een ijzeren kooi, die onder spanning wordt gebracht zodat zijn hersenactiviteit met elektroden kan worden gemeten. Ten slotte wordt hij naar de catacomben van het instituut gebracht. Daar bevindt zich in een kleine bunker de vinding van Röntgen. Lemmy staat er lange tijd tussen twee glasplaten, terwijl de arts met enkele studenten, die ter bescherming bakelieten maskers en dikke leren jassen dragen, zijn botstructuur bestuderen die als een levende pierlala voor hen verschijnt. Hiermee zijn alle tests voltooid en kan hij in het kantoor van de arts zijn vergoeding ophalen. Die ligt in een blanco envelop op diens bureau. Hij schuift hem naar Lemmy toe maar refereert er verder niet aan, alsof hun verhouding vriendschappelijk is en door zoiets zakelijks verstoord zou worden. Het loopt inmiddels tegen vijven. Lemmy wil niet dat Rosa, die niet weet waar hij uithangt, ongerust wordt, maar de dokter zet twee glazen neer, ontkurkt een oude madera en zakt met een diepe zucht achterover in zijn groenlederen stoel, alsof voor hem de aardigheid nu pas begint.

'Op onze samenwerking!' Hij heft zijn glas. 'Zeldzaam tegenwoordig mensen zo bereid te vinden.' Hierna vertelt hij enthousiast over zijn werk en over zijn vriendschap met zijn leermeester, de leider van het instituut, wiens naam hij plechtig en telkens voluit noemt, 'professor Otmar Freiherr von Verschuer', als was het een bezwering die aan kracht wint door voortdurende herhaling. Ze hebben de taken verdeeld. De professor specialiseert zich in tweelingen; de arts, die zijn assistent is, in dwerggroei, of, zoals hij het zelf noemt, 'in onderzoek naar kleine mensen'.

Lemmy probeert op zijn hoede te blijven, maar de man blijkt zo'n charmante verteller dat dat niet meevalt.

'Zie!' Hij haalt een schrift uit zijn la en werpt het op zijn bureau. 'En dat dus toen ik jong was al!' Lemmy pakt het op. De kaft is beduimeld, het opstel dat het bevat vaak herlezen. Op het etiketje staat in een kinderhand *Reizen naar Liechtenstein*. De gom heeft aan twee hoeken losgelaten. Hij bladert beleefd terwijl de arts vertelt over zijn hartstocht voor muziek en kunst, en over Uri, de schoolmeester, die in hem het vuur voor de natuurwetenschappen heeft ontstoken, fysica, biologie, zoölogie, maar de antropologie toch boven alles.

Ondertussen speelt zich op weg naar Liechtenstein allerlei af, dat ziet Lemmy wel. Een sprookje, zoals er zoveel zijn, een toneeltekst vol jonkvrouwen en ridders. Eén keer is het opgevoerd ten bate van een kinderziekenhuis. De held belandt bij dwergen die hem helpen het kwaad te verslaan. 'Opgewekte kereltjes', volgens een regieaanwijzing in de kantlijn, die 'huppelen' en 'holdebolderen'. Zo onbenullig, wat rode potloodkrabbels in de kantlijn, maar Lemmy's keel slaat ervan dicht. Een zenuwscheut jaagt door zijn lichaam, alsof hun vrolijkheid met messen in zijn huid gekerfd wordt, alsof de voltages van alle apparaten waaraan hij zich vandaag heeft onderworpen nu in één keer op hem worden losgelaten. Om bij zinnen te blijven haalt hij diep adem. Om niet weg te rennen klauwt hij zijn nagels rond de leuningen van zijn stoel.

'...zodat we de oorzaak kunnen achterhalen en uit het systeem zuiveren,' spreekt de arts. Zo vol is hij van zijn vak en van de mathematiek van Bach, van Verdi's emoties, de wrede hoop bij de gebroeders Grimm en God weet wat hij er ondertussen allemaal bij heeft gesleept, dat Lemmy's opwinding hem ontgaat. 'Zeg zelf, als u de keuze had, en het betrof uw eigen kind...'

Lemmy steekt de envelop in zijn zak en laat zich van de stoel glijden. De arts staat erop hem naar de uitgang te begeleiden. Onderweg passeren zij het anatomisch kabinet, dat hij hem nog even wil laten zien. Het blijkt een kleine museumzaal te zijn met hoge glazen kasten, plank na plank gevuld met misgeboorten en vergroeiingen op sterk water. Uiteenlopende spelingen der natuur zijn hier bijeengebracht, sommige deels ontleed en voor studie geprepareerd. Hier en daar is een schedel gelicht, een vleeswand terzijde geschoven om studenten een blik op het binnenste van de mens te gunnen. Diverse Siamese tweelingen zijn te zien, ieder paar op andere wijze verwassen. Een van de wandkasten is ingericht met de verzamelde skeletten. In het midden staat dat van een gezond iemand ter vergelijking met de afwijkende daarnaast. Sommige beenderen vertonen een wildgroei die Lemmy niet voor mogelijk had gehouden, andere herkent hij als horrelvoet, scoliose, elefantiasis.

Daartussen staan de skeletten van twee dwergen.

'Een mannetje en een vrouwtje,' licht de arts toe.

Iemand heeft ze hand in hand gezet. Maar er is nog iets. In al hun doodsheid bezit het paar een bepaalde dynamiek. Het duurt even voor Lemmy begrijpt waarom: de voetbotjes en hun rechterbenen zijn iets naar voren geplaatst, de linker- iets naar achteren, zodat het lijkt alsof ze ergens naar op weg zijn. Met ijzerdraad zijn de vrije armen naar achteren gebogen alsof die onder het wandelen losjes heen en weer

zwaaien. Alsof ze midden in die beweging gevild zijn en ont-
beend. Alsof de uitgelaten somberte die in de rest van deze
ruimte hangt juist op deze kadavers te zwaar zou drukken en
zij een air van luchtigheid behoeven. De schedel van de man
neigt wat naar links, die van de vrouw naar rechts, jolig, als
bij spelende kinderen. Deze verlevendiging moet veel extra
werk zijn geweest, maar toch heeft iemand het nodig gevonden die moeite te nemen.

'Waarom is dat toch,' vraagt Lemmy, 'dat iedereen ons
altijd maar geanimeerd wil zien? Liever niet zoals we zijn,
maar alsof wij uit uw fantasie komen.'

'Ach, uw werkelijkheid kunnen wij ons toch niet voorstellen,' antwoordt de arts zacht, 'niet echt. Alleen door haar te
verluchtigen kunnen we er nog enigszins mee omgaan.'

8

Boven op een stapel koffers zat ze, Grand Central, spoor
zeventien, verblind door het licht van de camera's. Aan alle
kanten kaatste het van haar ivoren lach, haar glanzende lippen, haar platinablonde haar. Evenzovele schaduwen wierp
ze, zodat haar silhouet driemaal, vijfmaal, tienmaal groter
dan zijzelf op het ritme van de flitsen over de perronmuur
danste. Toen alle licht en glans en aandacht wegviel, abrupt,
omdat er verderop een nieuwe freak te kieken viel, bleef
Rosa op Lemmy's netvlies. Om haar daar nog even vast te
houden – zwart, wit, klein, groot verscheen ze, om beurten
positief en negatief – deed hij zijn ogen dicht en genoot na,
zoals je na een goede film in een donkere bioscoop blijft zitten om het echte leven uit te stellen. Zoiets moois als Rosa
had hij nooit in het echt gezien. Hij hield er dan ook rekening mee dat zij zou oplossen zodra hij zijn ogen open-
deed, zoals de sterren van het witte doek of de half ontklede
vamps van wie hij droomde. Maar toen hij keek zat zij daar

63

gewoon. Dat wil zeggen, het was hetzelfde meisje, onmiskenbaar, even knap, koket, ze lachte zelfs nog, maar zonder alle aandacht oogde ze anders. Naakter leek ze, bijna wat beschaamd. Hulpeloos in elk geval, want de journalisten die waren toegeschoten om haar boven op de bagage te tillen interesseerde het niet hoe ze er weer van af zou komen. Lemmy greep zijn kans, bouwde treden van losse valiezen en stak haar zijn hand toe, zodat ze veilig en nog enigszins in stijl kon afdalen.

Haar vaste plaats was in een ander rijtuig, zodat hij haar niet terugzag tot in Albany, de eerste halte van hun tournee. De hele reis daarheen had Lemmy geen woord gezegd, alleen maar uit het raam gestaard naar de brede stroom waarvan zij de oever volgden. Traag en onomkeerbaar groeide in hem een vertrouwen, rustig uitwaaierend als de golven achter de schepen die stroomopwaarts zwoegden. Hij zat daar maar – terwijl binnen in hem alles zwol en zeeg en jubelde – stil achter het glas te turen naar het water van de Hudson, dat door dichte bossen sneed, naar ongenaakbaar hoge rotsen en iele varens die daaraan houvast vonden.

Voor die tijd had hij de liefde wel gezien. En hoe! Overal viel die hem op. Het was iets wat anderen bedreven om hem de ogen uit te steken. Iets wat zich op een ander niveau afspeelde. Met zijn allen waren ze het daarboven over één ding eens: liefde is het allerhoogste. Zo hoog dat hij er met geen mogelijkheid bij kon.

Als kind vond Lemmy het normaal anderen te zien liefhebben. Gewend aan de spelletjes van de mannen en de vrouwen onder de promenade, meisjes en jongens bij de pier, bestudeerde hij hun gedrag zoals mensen aapjes kijken in de dierentuin: vertederd over een handigheid die zij zelf niet bezitten, lacherig over hun beestachtige brutaliteit. En bespringen ze elkaar, des te meer waar voor je geld! Lemmy kreeg er handigheid in aan kleding, houding, kapsel of de volheid van hun lippen af te lezen hoe ver een stelletje zou durven gaan en volgde ze daarna om te zien of hij gelijk

had. Een zinloze vaardigheid, want alleen een schlemiel ver-
diept zich in een spel waarin hij zelf niet meespeelt. Lemmy
zou zijn geworden als die vadsige baseballfans, die zichzelf
sportief noemen omdat ze elke zondag langs de kant zitten,
passief gepassioneerd, als zijn lichaam hem niet wakker had
gefloten. Het was tijd. Onmiskenbaar. Van de ene dag op de
andere begon het spel van de geliefden Lemmy ook fysiek
op te winden. Hij kon zich steeds slechter bedwingen. Niemand grondiger voorbereid en beter voor dit spel toegerust
dan hij! Zijn dagen als toeschouwer leken voorbij en alles
aan hem stond klaar om het veld op te rennen.

Hij verwarde de gretigheid van de minnaars met de zij-
ne. Als hij het gemak zag waarmee mensen elkaar omhels-
den kon hij zich niet voorstellen dat ze hoge eisen stelden,
maar zo laag bleek hun drempel nou ook weer niet te liggen.
De reacties op zijn eerste toenaderingspogingen schrokken
Lemmy nog niet af. Hij had wel vaker gezien dat meisjes
jongens uitlachten of zonder iets te zeggen bij hen wegliepen.
pen. Dit bleek doorgaans enkel strategie om de jacht span-
nender te maken en de jagers verder aan te sporen, want
amper vijf minuten later drukten zij zich dan weer dankbaar tegen hun belagers aan. Alleen bij hem was het hun me-
nens. Hield hij aan dan begonnen ze te gillen en als hij niet
uitkeek hamerden ze met hun vuisten boven op zijn schedel. Zo hielpen zij hem in te zien dat wanneer een meisje
'Flikker op, gore griezel!' roept, dit niet uitdagend is bedoeld. Hij trok zich terug en speelde dan het spel maar met
zichzelf, echter niet zoals andere pubers, als oefening en om
voor te proeven van alle genot dat hun nog te wachten staat,
maar als nederlaag, gewond, driftig, een schrale troost voor
wat hem werd ontzegd. Intussen ontwikkelde Lemmy een
andere tactiek. Hij ontdekte het soort meisjes dat zichzelf
verloren voelt en verlegen zit om een gesprek. Niet zelden
herkenden dergelijke types iets in hem. Zij raakten door zijn
groteske uiterlijk juist vertederd omdat zij er een weerga-
ve in zagen van hoe zij zichzelf vanbinnen voelden, lelijk
en onbegrepen. Geduldig loodste hij hun gevoelens in zijn

richting. Niet zo fraai misschien, maar hij klampte zich aan hen vast als een drenkeling aan drijfhout. En met opmerkelijk effect. Stuk voor stuk voelden zij zich om hem bezorgd. De meesten alleen moederlijk, helaas. Dezen wilden hem het liefst wiegen als een pop. Slechts een enkeling kwam op het idee dat ze zijn isolement zou kunnen doorbreken door hem het een en ander toe te staan. Lemmy sloeg niets af, maar zag ondertussen ook haarscherp wat een offer dit voor de meisjes was. Al ging het zelden verder dan een streling of een blik onder hun rokje, zij moesten zich er met geweld toe zetten. Twee stonden hem een kus toe, waarbij een zowaar haar lippen voor hem vaneen deed. Beiden zagen dit als een heilige opdracht en zo keken ze er ook bij, als martelaren. Allen blusten zijn zelfvertrouwen meer dan dat ze het aanwakkerden. En dan was er een lopendebandwerkster uit Gary, Indiana, die hem wel wilde kussen, tong en al, maar dan alleen in het fotostalletje op de pier, zodat ze iets bijzonders had om thuis aan de andere arbeidsters te laten zien tijdens de schaft. Hij heeft het maar gedaan. Uiteindelijk vond Lemmy een meisje dat haar blouse voor hem openknoopte. Ze nam een borst in haar handen en bood hem die aan. Ze straalde als een missionaris die een vuist vol gekleurde glasscherven voorhoudt aan een Hottentot. Hij mocht er even aan voelen, zei ze, heus; ze kneedde zacht haar vlees en knikte barmhartig. Terwijl zij zijn vingers rond en nog eens rond haar tepel leidde, welde in hem tussen dankbaarheid en hunkering verdriet op; de wanhoop van een blinde die een beeld betast en zich probeert voor te stellen wat hij mist. Hij sloot zijn ogen, drukte zich tegen haar aan, huid tegen huid, niet van genot maar om zich voor de wereld te verbergen. Zij streelde zijn haren, troostend, met snelle korte halen. Dit was het moment waarop Lemmy's schaamte groter werd dan zijn verlangen. Roerloos bleef hij, minutenlang. Hij durfde zich niet van haar los te maken omdat hij wist dat hij het de komende jaren zou moeten doen met niet meer dan de herinnering aan deze ene aanraking. Niet dat zijn behoefte aan genegenheid afnam. Integendeel. Hij kon gewoon de vernedering niet nog eens opbrengen.

Omdat het voor hemzelf buiten bereik bleef, begon hij anderen hun geluk te misgunnen. Gefrunnik overal. Gesabbel. Openbare demonstraties speciaal om hem te kleineren. Zoals mensen een eind worst in de lucht houden om eens te zien hoe hoog een zwerfhond wil springen en het dan lachend in hun eigen mond steken. Vrijende paartjes zagen hem wel, maar ze dachten er geen moment bij na dat die kleine man ontzegd was waar zij zelf in zwolgen. Zij waren zo zeker van hun eigen geluk dat ze zich niet meer in een ander hoefden te verplaatsen. Dit was een luxe die Lemmy hun pas echt verweet.

Hij hoorde mensen weleens zeggen dat ze woede vóélden. Dit leek hem een vergissing. Het venijn zat in zijn hoofd. Het bestond uit gedachten. Die overvielen hem van alle kanten tegelijk. Liet hij ze toe dan klonterden ze samen. Ze verstopten ieder begrip. Ze verlamden zijn zinnen en belemmerden de doorstroming naar zijn hart. Daarom juist klampte hij zich aan zijn woede vast, omdat die hem versufte. Het maakte zijn verdriet draaglijk. Zolang hij boos bleef, hoefde Lemmy zijn wanhoop niet toe te geven.

Tegelijk zag hij het wel gebeuren. Haarscherp zelfs. Langzaamaan was hij aan het veranderen in zo'n dwerg die ze in sprookjes opvoeren: wraakzuchtig, van verbittering vertrokken, vergiftigd door zijn eigen gal. Een misbaksel, vastgevroren in de winter van zijn ongenoegen, omdat hij niet met de mooie mensen mee mag spelen. Deze rol was hem toebedeeld en dit voedde zijn woede elke dag. Maar hij nam die rol ook aan en speelde hem overtuigend. Dat kon hij niemand anders kwalijk nemen. Kennelijk was hij bereid de verwachting van de mensen in te lossen en een karikatuur te worden. Na alle afwijzingen die hij al had ontvangen wees hij nu dus ook zichzelf af. Dit stak met een pijn, zo heftig dat het hem bij zinnen bracht. Lemmy riep zichzelf tot de orde. Nog even en zijn innerlijk zou erger misvormd zijn dan zijn uiterlijk. Hij moest zijn leven weer in handen nemen en de verantwoordelijkheid niet langer afwentelen. Met al zijn beperkingen moest hij het omarmen, of er helemaal van afzien. Met deze laatste mogelijkheid heeft hij rondgelopen, maar uiteindelijk was hij niet bereid de wereld die overwinning te gunnen.

Hierna duurde het nog maanden voor Lemmy weer een meisje durfde aan te spreken. Soms zat het mee, soms tegen, niet anders dan daarvoor; iets luchtiger ging het hooguit omdat hij er minder van verwachtte. Een mens kan nog zo verharden, sterker wordt hij er niet van.

'Wat gaat het worden, Lemuel?' zei Mazeppa op een avond. 'Dromen of doen?' Zij had haar tweede optreden achter de rug en depte haar oksels met een handdoek. Via de spiegel keek ze hem aan terwijl ze zich afschminkte. Met de pancake veegde zij de vrolijkheid van haar glimlach. 'Natuurlijk kun je je hele leven droogstaan. Geen probleem. Zo veel mensen doen dat. En ondertussen blijven ze maar hopen.'

Mazeppa was de enige vrouw bij wie Lemmy nooit schaamte had gevoeld, misschien omdat zijzelf zo goed zonder bleek te kunnen. Dit was wat hen bond. Af en toe riep ze hem achter het toneel om haar te helpen. Een sluiting vasthaken op haar rug. Het veertje van haar oorbel terugbuigen. Alle sluiers verzamelen die zij had afgeworpen om die vervolgens onder een vochtige doek te strijken.

'Of wees praktisch, stel je verwachtingen bij en bedrijf de liefde waar je erbij kunt.' Met een vinger volgde ze een grote ladder in een van haar kousen. Ze trok hem uit en slingerde hem in zijn richting. 'Mijn ervaring? Hoe lager de liefde hoe leuker!'

Lemmy spande de kous over een borrelglaasje, zoals ze hem geleerd had, en begon met een haakje de ladder op te halen. Trots was hij dat hij de enige jongeman was die zij in haar kleedkamer toeliet. Vrouwen zijn vaak vertrouwelijk met hem, nog altijd, maar enkel omdat ze hem als man niet serieus nemen en als kind zien. Zo niet Miss Mazeppa. Haar levensonderhoud hing af van mannelijke hormonen. Speelden die ergens op, dan bespeurde ze dat sneller dan een bloedhond zijn prooi. Zij wist precies waar Lemmy's gedachten waren. En daar liet zij ze. De vanzelfsprekendheid waarmee zij het verschil erkende dat tussen hen bestond, gaf hem het gevoel een man te zijn. Hij drukte haar kous tegen zijn neus en snoof zo diep hij kon.

'Het is je tijd, Lemmy. Hoe langer je wacht, hoe meer je ertegen op gaat zien.'

Hij rolde de kous op, wilde hem teruggeven, maar zij pakte hem niet aan. Ze draaide zich naar hem toe, lachend, maar de manier waarop vond hij een beetje eng. Ze gooide de panden van haar kamerjas opzij, alsof die in de weg zaten.

'En wat is het helemaal?' Ze deed haar benen wat uiteen, tilde haar bekken op en schoof in één haal haar broekje naar beneden. Het lag al op de grond voor Lemmy begreep wat hem gebeurde. Mazeppa legde haar handen in haar liezen, boog even voorover en bekeek haar onderlichaam alsof het haar zelf verbaasde. 'Dit is het. Hier komen ze allemaal voor. Snap jij het dan snap ik het!'

Lemmy snapte het heel goed, maar wie was hij om haar tegen te spreken? Hij had trouwens geen woord kunnen uitbrengen, hij vergat zowat adem te halen, want onder haar vingers week het vlees. Rozewit leek het hem tegemoet te stralen. Pulserend lichtte het op tussen het donkere haar. Dit alles recht voor hem, op ooghoogte. Verder nog trok zij de lippen vaneen en toen hij dacht dat het onmogelijk verder kon, toch nog heel even wijder open. Daarop liet ze los en trok de schacht vanzelf samen. Het kleine vleesknopje daarboven klemde ze tussen ring- en middelvinger, zoals ze ook een peuk kon vasthouden, en rolde het daartussen heen en weer. Niet voorzichtig zoals Lemmy zich had voorgesteld, maar stevig wreef ze het. Ze trok eraan en liet het schieten, trok eraan, een beetje boos, en liet het los, steeds weer totdat het opzwol en begon te glinsteren. Toen leunde ze achterover en gebaarde dat Lemmy dichterbij kon komen.

'Toe maar.'

Van schrik kwam hij tot zichzelf. Zo nieuw was alles dat hij er alleen naar had staan kijken. Wat wou ze nu? Wat moest hij? Hij was vooral zo helemaal niet geil. Van verbijstering was hij gewoon vergeten het te worden. Zoiets ging allemaal vanzelf zolang hij in zijn eigen gedachten was, maar nu hij zijn opwinding nodig had, kon hij die zo gauw niet vinden.

Mazeppa pakte hem bij zijn polsen, trok hem naar zich toe en leidde zijn vingers over haar lichaam. In iedere wereld valt de toegang tot een volgende te ontdekken! Hier en daar hield ze stil en liet hem spelen. Haar bekken lichtte ze op en ze draaide het, beheerst tergend, zoals ze deed wanneer ze danste. Vocht parelde tussen de zwarte haartjes. Zij legde haar handen op zijn hoofd en duwde het zachtjes in de juiste richting. Zo zacht, zo zeker. Ter plekke schoot alles hem vanzelf te binnen.

Voortaan kon Lemmy zich meten met de mannen die voor Miss Mazeppa's optreden betaalden. Dit was haar geschenk aan hem. Hij stond tussen hen in terwijl zij striptte, vertrouwd met wat voor hen verborgen bleef. Hoe ze hem bekeken en wat ze ook riepen, Lemmy stond er voortaan boven. Dit vond hij het grootste wonder. Een daad zo eenvoudig, door normale mensen overal en elke dag verricht, hoe die de wereld kan veranderen. Een paar keer hebben Mazeppa en hij hun spel nog opgepakt, steeds vanzelfsprekend. Niet altijd vreeën ze, vaak kropen ze alleen tegen elkaar aan. Huid tegen huid, merkte hij, is evengoed een wonder. Juist als onze grenzen elkaar raken, vergeten wij dat wij daartoe beperkt zijn. Zelfs in volle rust vloeit de energie van het ene lichaam moeiteloos het andere binnen. Op die momenten zat Lemmy niet vast aan zijn eigen korte lijf, maar groeide hij tot diep in dat van haar.

Bij meisjes die hem niet meer dan hun hand lieten vasthouden, had hij zich altijd dankbaar gevoeld. Bij Mazeppa, die hem alles toestond, geen moment. Liefde was het niet, dat wist hij wel. Maar ook zeker geen liefdadigheid. Wat zij samen deden was van zulke waarden vrij. Meer dan wat ook was het onbeladen. Van ieder oordeel los te zijn – onvoorstelbaar voor iemand als Lemmy –, was dit voor hem te midden van alle genietingen het grootste genot.

Geluk, ontdekte hij, is in de eerste plaats gemak.

'O,' kreunde Rosa, 'dat vind ik nou zo zielig!'

Ze hadden al een tijdje naast elkaar gestaan voor de eta-lage van een dierenwinkel in Schenectady. Na een vluchtig hallo hadden ze nog nauwelijks een woord durven wisselen. Ze blikten strak naar een tank vol goudvissen. Zodra er een-tje naar het glas toe zwom en hen aankeek, lachten ze. Rosa deed zijn domme uitdrukking na. Lemmy vatte moed, ging naar binnen en wees er twee aan die hij wilde kopen, maar zodra hij met zijn vangst in een jampotje naar buiten kwam betrok Rosa's gezicht.

In elke nieuwe standplaats kostte het twee dagen om hun dwergstad op te bouwen en hun huizen in te richten. Hier-voor reisde een groep technici mee. Ondertussen maakten de bewoners van Fairyland Lilliput een tocht langs de om-liggende steden, waar ze zich voor de plaatselijke krant lieten fotograferen op de trappen van het gerechtsgebouw met de burgemeester of de langste agent van het politiekorps. Dan trokken ze, zoals Buffalo Bill met zijn Indianen, de hoofd-straat op en neer en kregen de rest van de dag vrij om rond te lopen. Dit keer was Lemmy Rosa achternagegaan, en zo-dra ze stilhield voor de dierenzaak greep hij zijn kans. Dacht hij.

'Hun hele leven hebben ze bij de rest gehoord en nou in-eens zijn ze alleen!'

'Ik geloof niet dat ze in scholen zwemmen, goudvissen,' probeerde Lemmy, 'en bovendien, ze hebben elkaar,' maar daar ging het haar niet om. Rosa wou ze niet aanpakken. Somber, omdat hij dacht dat hij alles in één klap had verpest, liep Lemmy weer naar binnen, maar de verkoper weigerde de beestjes terug te nemen. Alles wat hij deed was Lemmy de rivier wijzen, waar hij ze vrij zou kunnen laten. Tot zijn verbazing liep Rosa met hem mee. Onderweg kochten ze orangeade, brood en gelei van blauwe bessen om het in te dopen. Ze gingen liggen aan de oever en Rosa vertelde over het land waar zij vandaan kwam, en toen Lemmy daarom vroeg droeg ze een gedicht voor in haar eigen taal. Het ging over een koning die een kind meeneemt op zijn paard – als je je ogen dichtdeed kon je de galop gewoon horen en de wind door je haren voelen –, en Lemmy besloot ter plekke dat er niets verfijnder of hoogstaander, niets romantischer bestaan kon dan dat moederland van haar.

De middag vloog voorbij en toen ze tegen vijven terug moesten en nog steeds de vissen niet hadden losgelaten, durfde Rosa niet meer – 'In dat donkere water? Die maken geen enkele kans' –, zodat ze besloten de beestjes dan maar weg te geven aan een van de mannen die langs de kant zaten te hengelen.

'Wat heb jij gedacht, jongen, je vissen in zo'n potje te proppen!' bromde de oude zwarte. Hij tuurde door het glas hun benauwde wereld binnen en schudde zijn witkroezende haar. 'Hou je ze klein, dan blijven ze klein. Heeft geen mens jou dat geleerd? Stop ze in een aquarium. Dan worden ze vijf keer zo groot.' Hij haalde de deksel van de pot, strooide wat meel in het water en keek hoe de dieren hapten.

'We dachten erover ze los te laten...'

'Vrij in de machtige wateren, zoete Here Jezus!' Hij lachte gierend, kort en hoog, hield de jampot boven de rivier en keerde hem om. Rosa hapte naar adem. Lemmy sloeg zijn arm om haar heen. De visser nam zijn hoed af en liet zijn blik over de rivier glijden alsof hij de vissen kon zien wegzwemmen. 'Nu valt met geen mogelijkheid meer te voorspellen hoe lang ze wel niet kunnen worden, die bofkonten!'

De vader en moeder van Rosa waren allebei groot. Dat hun kind niet wilde groeien verbijsterde hen. Ontroostbaar waren ze omdat ze zich een leven zoals dat haar te wachten stond niet konden voorstellen. Zoals alle ouders hadden ze verwacht hun dochter tot voorbeeld te kunnen dienen. Ze hadden zich verheugd op een wezentje dat een betere toekomst tegemoet ging dan zijzelf omdat ze het konden behoeden voor de fouten die zijzelf gemaakt hadden en zij het zouden waarschuwen voor de vele gevaren die ze al hadden getrotseerd. Zozeer hadden ze erop gerekend hun bloedeigen meisje van hun ervaringen en kennis te laten profiteren dat ze hierin de reden van hun bestaan waren gaan zien. Toen Rosa volstrekt anders bleek te zijn dan zij, zo uniek dat elke raad van hen tekortschoot, viel de bodem uit hun bestaan. Het soort problemen dat hun dochter te wachten stond kenden zij hooguit uit een nachtmerrie. Die waren van een magnitude die buiten hun competentie viel. Haar namen ze dit nooit kwalijk maar zichzelf des te meer, omdat het voelde alsof zij hadden gefaald.

Lemmy daarentegen had aan zijn ouders van begin af aan kunnen zien wat het betekent klein te blijven. Toen zijn groei eenmaal stopte, en hij definitief een van hen werd, was het geweest alsof hij thuiskwam. Al hadden ze hem anders gegund, toch voelden zijn vader en moeder opluchting dat ze nooit naar hun zoon zouden hoeven opzien. Het verdriet en de pijn waardoor hun levens waren getekend kregen alsnog zin, omdat ze konden voordoen hoe je daarmee omgaat. Als geen ander wisten zij welke worsteling hun kind te wachten stond en waar voor hem troost te halen viel. Ze leerden hem de trucjes en vluchtwegen die zijzelf hadden ontdekt en lieten hem zien hoe trots kan worden gesterkt door schaamte. Vaak was Lemmy het met hun oplossingen niet eens geweest. Was hij boos geworden omdat ze hem nooit zijn eigen fouten lieten maken. Had het hem teleurgesteld dat ze niet harder tegen de wereld vochten. Hij had zich tegen hen afgezet, de weg vervloekt die zij waren gegaan en demonstratief de tegenoverliggende ingeslagen, maar voor alles wat Lemmy leerde, dacht en doen moest had hij, gunstig of ongunstig, zijn vader en moeder ten voorbeeld gehad.

Dat is het grote verschil tussen hem en Rosa. Zij heeft haar leven zelf moeten uitvinden. Voor haar zat er niets anders op dan zich er op eigen houtje een voorstelling van te maken. Dat heeft ze gedaan, pas voor pas, en zo doet ze dat nog steeds. Om haar te blijven liefhebben moet hij dat goed voor ogen houden. Om haar in haar waarde te laten moet hij haar dat toestaan. Dit is wat hij heeft begrepen van de skeletten in het anatomisch kabinet: in een leven dat voor anderen onvoorstelbaar is, is dit de manier die Rosa heeft gevonden om zich staande te houden. Zij stelt zich voor. Ze probeert zich voorstelbaar te maken. Ze maakt van zichzelf een voorstelling. Dit is haar manier om greep te krijgen op het vele wat onbegrijpelijk blijft aan een leven als uitzondering.

Tijdens zomernachten, wanneer Rosa en Lemmy tot laat in het gras liggen en elkaar warm proberen te houden door te mijmeren over het begin van hun liefde, noemen ze de dag waarop ze de vissen hun vrijheid schonken als de dag waarop ze voor elkaar vielen. Ze berekenen de jaren van hun samenzijn vanaf die datum, en die vieren ze zoals anderen hun trouwdag, ook al duurde het daarna nog dagen voordat ze elkaar durfden te kussen en lagen ze pas eindeloos veel Amerikaanse mijlen verder voor het eerst in elkaars armen. Gumpertz zorgde ervoor dat er in elke nieuwe stad die ze aandeden een eigen huisje voor hen in elkaar werd gezet, en voortaan werden Rosa en Lemmy aan het bezoekende publiek van Lilliput voorgesteld als bruidspaar. De ceremonie werd driemaal daags gehouden, waarbij ze in een koets naar het stadhuis reden en een huwelijksakte tekenden, waarna Lemmy Rosa over de drempel van hun huis droeg en dan, elke keer opnieuw, met dezelfde ondeugende grijns voor het raam verscheen om tot grote hilariteit van de bezoekers met een ruk de gordijnen te sluiten. Dwars door alle staten hield hun liefde stand, of ze nu met fakkels en hooivorken werden weggejaagd uit Tuscaloosa, Alabama, waar ze hen voor kinderen van de duivel hielden, of op uitnodiging van president Harding in het Witte Huis dineerden. Aan het eind van de rit, toen hun sprookjesstad naar Europa terug moest keren, aarzelde Lemmy geen moment en vroeg hij Rosa nu eens voor één keer echt met hem te trouwen, zodat ze samen konden blijven.

Had hem toen eens proberen wijs te maken dat er misschien een dag zou komen waarop hij zou overwegen haar te laten vertrekken zonder hem.

9

Vooruitkijken, dat mist hij het meest. Sinds Rosa en hij uit hun stad zijn verdreven speelt alles zich boven hun hoofden af. Een mens is er niet op gebouwd altijd maar omhoog te kijken. Gek genoeg kost het omgekeerde niemand moeite. Aan de voorbijgangers te zien is ergens op neerkijken niet iets waar je snel genoeg van krijgt, maar Lemmy loopt de hele dag met koppijn. Misschien is dit wel de reden dat kleine mensen zich altijd maar weer bij elkaar laten zetten op kermissen en in revues: zolang ze samen zijn hoeven ze alleen naar voren te blikken.

Vannacht schoot hij wakker, zwetend. Rillend als de opiumverslaafden die hij vroeger in Mott Street heeft zien liggen wachten tot er plaats was in de kit. Zijn geest, zijn lichaam hunkerden, maar hij wist niet waarnaar. Paniek. Zijn hart sloeg over. Zijn darmen trokken samen. Hij opende de ramen. Het regende. De aarde dampte, maar de hitte van augustus nam niet af.

Hij is op de vensterbank geklommen en naar buiten gestapt. Met zijn voeten in de dakgoot heeft hij daar gelegen, zijn rug op de pannen, naakt, nat, en maar ademhalen, diep en dorstig, net zolang tot het licht werd en hij zichzelf daar zo zag liggen en begreep dat er maar één ding is waaraan hij echt behoefte heeft: een andere kijk! Dit was voor het eerst. Op welke manieren hij in zijn leven ook allemaal tekortschoot, nooit eerder had hij tekort aan perspectief. Hoe zijn ziel er ook om schreeuwt, hij weet niet hoe hij anders naar zichzelf zou kunnen kijken, zolang hij is veroordeeld rond te lopen met zijn hoofd maar altijd in zijn nek.

'Pak aan!' zegt Frau Moncau na het ontbijt – Rosa is zich al aan het opmaken –, en ze stopt Lemmy een paar bankbiljetten toe die ze in een afgeknipte kousenvoet heeft gepropt. 'Gewoon voor het geval dát.' Meer uitleg wil ze niet geven. In plaats daarvan begint het mens te mijmeren over allerlei dure geschenken waarmee de heren *Cavaliers* gewend waren haar kleedkamer te vullen en de *billets doux* die daar dan tussen verstopt zaten met de adresjes van *chambres separées*, maar Lemmy heeft wel wat anders aan zijn hoofd. Hij slingert de geladderde kous voor haar op tafel. Moncau kijkt hem aan. Haar vingers, die aan het spelen waren met de linten van een denkbeeldig cadeau, verstarren in de lucht.

'Mijn gloriedagen zijn voorbij. Dat weet ik wel. Zo gaat dat, eerst vlieg je, dan val je. Daar is niks bijzonders aan. Ik lig. In de modder. Languit. Iedereen kan het zien en toch, ik weiger eraan toe te geven. Ik blijf mezelf liever zien zoals ik was. Hoe lachwekkend is dat?'

Lemmy moet het antwoord schuldig blijven.

'Rosa redt zich,' fluistert Moncau en buigt naar hem toe alsof ze samenzweren, 'daar ben ik niet bang voor. Rosa redt zich wel. Neem jij dat geld. Steek het bij je.'

'Waarvoor?'

Ze kijkt hem aan alsof hij haar nu teleurstelt. Die blik irriteert hem. Alsof zij iets te pakken heeft waar Lemmy nog niet bij kan.

'Je hebt je aan me geërgerd,' zegt Moncau. 'Goed, je hebt je over me verbaasd. Je zult me best wel eens vervloekt hebben, maar dat is alles.' Ze stapelt de ontbijtbordjes op, graait het bestek bij elkaar en schuift met een mes de kruimels op een hoop. 'Om me gelachen heb je niet en dat is alle bewijs dat ik nodig heb.' Ze loopt naar de deur, en omdat ze haar handen vol heeft drukt ze de klink naar beneden met haar linkerbil. Alleen de zijden kous ligt nog op tafel.

Als je vrolijkheid maar vaak genoeg repeteert kun je die op afroep op je gezicht plakken. Trek je mondhoeken hoog op en er welt vanzelf een soort blijheid naar boven. Hun auditie

lijdt dus niet onder Lemmy's nachtelijke escapade. Stom geweest natuurlijk. Kou gevat. Hoge koorts, uitgerekend van-
ochtend nu het eropaan komt. Maar professioneel als ze zijn
valt er van wat werkelijk in hen omgaat niets te zien. Kort-
om, ze zijn goed. Rosa in haar nieuwe gele kostuum. Onder
de drieënveertig dwergen die zijn komen opdraven – door de
strenge maatregelen is ieder van hen brodeloos – zijn maar
enkele paren. Daartussen blinken Rosa en Lemmy uit. Riff,
timestep, lift, grand jetées, stuk voor stuk volmaakt, zodat
iedereen kan zien dat zij hun techniek tot in de puntjes be-
heersen. Daarmee in fel contrast Lemmy's missers, perfect
getimed. Alle grollen die ze hebben ingestudeerd blijken te
werken. Zelfs hun concurrenten, van wie ieder een moord
zou doen voor een kans dit land bijtijds te verlaten, schieten
elke keer dat Lemmy omvalt in de lach en ze klappen als zijn
korte benen zogenaamd de maat niet kunnen houden. On-
danks dit succes worden er geen toezeggingen gedaan voordat iedereen zijn act heeft gepresenteerd. Lemmy wil naar
buiten – een koorts die hij door concentratie heeft weten uit
te stellen slaat ineens toe – maar Rosa trekt hem de stalles in
om vandaaruit te kijken of een van de anderen het er toch
niet beter vanaf brengt.

Op de bühne worden alle registers opengetrokken. Iedereen is bloednerveus. De oorlog met Rusland gaat niet door.
De kranten staan er vol mee. Het pact is vorige week getekend door Von Ribbentrop. Een paar dagen geleden is
de neutraliteit van hun buurlanden nog officieel gegarandeerd. Dat moet toch opluchten, zou je denken, maar nu
zijn ze weer als de dood dat Engeland juist hierom alle be-
trekkingen verbreekt, morgen of misschien vandaag al, zodat zij daar niet naartoe mogen en het hele circus niet kan
doorgaan. Er wordt bekendgemaakt dat iedereen die straks
door de impresario wordt uitverkoren vanavond nog naar
Hamburg wordt gebracht, zodat ze voor het ochtendgloren
kunnen scheepgaan en koers kunnen zetten naar Londen.
Hierop komen mensen met de wildste verhalen over rege-
ringsplannen voor gedwongen sterilisatie en een of ander

voornemen tot euthanasie voor gehandicapten, zodat er in de lazaretten meer plaats komt voor eventuele oorlogsgewonden. Verbazend, denkt Lemmy, hoe ver mensen willen gaan om elkaar op stang te jagen. Hij valt tegen hen uit, omdat Rosa van hun absurditeiten overstuur raakt, en snoert hun de mond door op de man af te vragen wie van hen zich dan precies als gehandicapt beschouwt.

'Sta jezelf nou eens één keer toe de wereld te zien zoals ze in mekaar steekt!' snauwt Rosa.

Dit alles brengt onder de deelnemers een gekte teweeg die hen hoger doet springen en harder laat vallen dan ooit. Sommigen bezwijken haast onder hun eigen capriolen, lollig alsof hun leven ervan afhangt.

'Heb jij dromen, jongen?' vroeg zijn grootmoeder lang geleden in New York, de avond voor ze afscheid namen. Zij zat een pantalon uit te leggen en Lemmy zocht spullen bijeen die hij mee wilde nemen. Hij luisterde maar half. Dit soort vage vragen diende meestal als opmaat voor haar herinneringen, halve smartlappen die ze steevast besloot met: 'En ik heb niet gehuild.' Had hij een kwartje gevraagd elke keer dat hij die zin heeft moeten aanhoren! 'Mijn geboortedorp hebben ze verwoest waar ik bij stond. Ik heb niet gehuild. Ze hebben mij van mijn ouders gescheiden en ik heb niet gehuild. Een man en twee kinderen heb ik begraven. Geen snik! Ik heb mijn spullen op mijn rug gebonden en ben vertrokken. Ik liet alles achter zonder een traan te laten, maar dacht je dat dat iets voorstelde? Welnee, want al die tijd had ik een droom: Amerika! Daar zou ik opnieuw beginnen. Ik scheepte in. Toen sloeg het leven toe. Aan boord. Daar liet het zijn ware aard zien, op volle zee. Het had het gezicht van je grootvader. En alle charme van de duivel. In een ogenblik van zwakte heb ik alles verspeeld. Tegen de tijd dat ik aan land ging was alle hoop vervlogen. Ter herinnering aan mijn misstap heb ik een dwerg gebaard. Maar heb ik me laten kennen? Nee, flink zijn als je nog ergens een uitweg ziet, dat kan iedereen, maar zelf je laatste droom vertrappen en je dán goed houden, dat is de echte test!' Met een ruk brak ze het garen en borg de stof weg. 'En jij, jongen?' Ze sprak met haar tanden op elkaar omdat ze de naald daartussen geklemd hield. 'Heb jij dromen?'

'Ik zou het niet weten, grootma.'

'Zet hoog in, dan hou je altijd iets om naar te reiken.' Ze sloot haar naaidoos, zette haar bril af en gebaarde Lemmy bij haar te komen zitten. 'Hoe groot zijn verlangen is, daar-aan kan een man worden afgemeten. Of wou jij zeggen dat lengte het enige is wat telt? Ha! Meet liever de kilometers die iemand heeft afgelegd om te komen waar hij is. Ach, Lemmy, Lemmy, er zijn zo veel manieren om een leven te meten, in bedragen die gespaard zijn en weer verloren, in de liters zweet die zijn vergoten. Meet hoeveel graden warmte een mens verspreidt, de zonsondergangen die hij heeft ge-zien, de ruzies die hij heeft gemaakt, hoe hard hij lacht, het aantal vrienden dat hij heeft, hoeveel uren hij heeft liefge-had. Vergeleken daarmee, wat kunnen centimeters mij dan nog vertellen?'

'Ze zijn waar. Ze staan vast.'

'Voor ik iemand de maat neem, vraag ik eerst van welk materiaal hij zijn pak wil. Is het stug dan heb ik meer nodig, is het vrij geweven dan kan ik met minder toe. Een mens is zo lang als zijn schaduw, iedere keer dat je kijkt net weer even anders. Wil de stof meegeven? Dat is het enige wat telt. Valt het goed? Plooit het? Hoeveel rek zit erin? Op den duur krijg je daar oog voor.'

Twee broers komen op in één regenjas. De een staat op de schouder van de ander. Hij steekt een hand uit om te zien of het regent en opent een paraplu. Hoofd, handen en benen zijn zo goed gecoördineerd dat het lijkt alsof ze van één man zijn. Dat is hun verdienste. Na jaren training wekken ze de illusie samen een normaal mens te zijn. Op deze manier ste-ken ze ook een sigaret op. Hiervoor krijgen ze applaus. De man zet een voet op een stoel, buigt voorover en bindt zijn veters vast. Er wordt gejuicht.

'Stik!' Rosa grijpt Lemmy's arm, ongerust dat deze act meer kans maakt dan die van hen. 'Waarom hebben wíj daar nou niet aan gedacht?'

Lemmy's vader en moeder is het nooit gelukt aan de schijnwerpers te ontsnappen. Nog altijd staan ze ergens te kijk, ook na al die jaren, misschien voor een gezin in badkleding met een klein meisje aan de hand dat net een grote oranje lolly heeft gekregen of een suikerspin en dat op ditzelfde moment haar kleverige neus tegen het glas drukt.

Uiteindelijk was het Gumpertz die het hem heeft verteld. Jaren geleden, op een heldere maanloze nacht in september. Ze stonden voor een paar weken in San Antonio. Iedereen genoot. Aan het eind van de dag, zodra er wat verkoeling kwam, trok het hele gezelschap eropuit om Mexicaans te eten en te dansen bij de *mariachi's*. Na zo'n avond lag Lemmy in het veld voor een van de verlaten missiekloosters om, zoals hij vaak deed, naar het uitspansel te turen, toen Gumpertz naast hem kwam liggen. Een tijd lang deden ze niets dan omhoogkijken.

'Je hebt het inmiddels toch begrepen, hè?' was het eerste wat hij zei. 'Nu je een volwassen vent bent weet je natuurlijk dat het niet waar is. Je ouders. Wat er over hen beweerd werd.'

Lemmy gaf geen antwoord.

'Het is alleen omdat ze het zelf per se voor jou wilden verzwijgen dat wij...' hij schraapte zijn keel, 'dat iedereen de hele maskerade indertijd heeft meegespeeld. Dat met je vader, ja – hoe oud was je? – daar kwamen we nog goed mee weg, maar toen jouw moeder stierf... het is natuurlijk niet zo dat ze nooit gevonden is.'

'Ze is verkocht, nietwaar?'

'Omdat je vader dit zo had afgesproken.'

'En hij?'

'Hij ook. Zij allebei.'

'Aan wie?'

'Officieel waren ze eigendom van Dreamland. De uiteindelijke transacties werden gedaan door een tussenpersoon. Die leverde waar vraag was en zorgde voor de hele... voordat je zoiets tentoon kunt... nou ja, er komt een heleboel bij kijken.'

Lemmy knikte. Aan de overkant van de rivier was een groepje feestvierders op weg naar huis. Iemand zong wat bij een gitaar. Er liepen kinderen bij met kleurige *piñatas* en voorop twee vrouwen met een lampion.

'Je ouders waren nou eenmaal uniek,' zei Gumpertz toen de stemmen waren weggestorven. 'Bij leven hebben ze hun bijzonderheid te gelde gemaakt. En ze zijn zo slim geweest ook maar vast een voorschot te nemen op daarna. Zodat er geld zou komen voor jouw opvoeding. Het was hun eigen keuze. Zo maken zij zich nuttig over het graf heen. Dit was hun manier om ervoor te zorgen dat jou zoiets bespaard kon blijven. Ach, zo veel mensen die ik ken hebben diezelfde keus gemaakt. Je moet maar zo denken: misschien dienen ze de medische wetenschap.'

'En misschien reizen ze rond in een rariteitenkabinet.'

'Het contract dat wij met ze hadden was open en volkomen fair,' sprak hij kortaf. 'Jullie hebben er al die jaren goed van kunnen leven.'

Het hele gesprek lang probeerde Lemmy zich zijn ouders voor te stellen, maar hij kon ze zich nauwelijks voor de geest halen. Wel zag hij zijn grootmoeder en hij vroeg zich af of zij geweten heeft welke wissel er op de botten van haar kind getrokken was en of dit soms de reden was dat zij hen in Dreamland nooit heeft willen bezoeken. Een vrouw als zij, die liever alle banden in één keer had doorgesneden dan van iemand afscheid te moeten nemen. Hij hoorde het haar gewoon zeggen: 'En ik heb niet gehuild.'

'Wanneer ben je er eigenlijk achter gekomen?' vroeg Gumpertz.

'Nu net.'

'Maar twee keer zo'n verdwijning, Lemmy!'

Te ongedurig om nog oog te hebben voor hemellichamen

kwam hij overeind. 'Je moet je toch ten minste hebben afgevraagd hoe zulke idiote verhalen in de wereld kwamen?'

Met korte harde slagen veegde hij het gras van zijn hoed.

'Zo gek vond ik die verhalen niet,' zei Lemmy, 'vergeleken bij de waarheid,' maar Gumpertz was al te ver weg.

Lemmy bleef liggen en overdacht wat er veranderd was nu hij het lot van zijn ouders kende. Hij lag daar tot de vroege ochtend alsof hij bij moest komen. Zijn verhouding tot de wereld en haar bewoners was weer iets verschoven, maar tegelijk zag hij dat boven hem alles doordraaide en de planeten hun baan volgden. Uiteindelijk werd de grond hem te koud en was hij opgestaan. Later had hij nog eens uitgerekend wat een tijd een mens bespaart door niet voortdurend naar vallende sterren uit te kijken.

Ze zijn erbij. Rosa raakt haast verlamd van angst omdat de impresario allerlei namen afroept, maar die van hen niet. Zodra al degenen die hij genoemd heeft naar voren zijn gekomen, klimt de man uit de zaal het toneel op. Daar geeft hij een korte toelichting, bedankt hen voor de moeite en stuurt hen weg. Degenen van wie de naam niet heeft geklonken, zeven in totaal, zijn aangenomen – proficiat! – en moeten zich met hun papieren op het kantoor melden voor het afhandelen van alle formaliteiten. Het duurt een tel voordat het tot Rosa doordringt. Ze valt Lemmy om de hals. De aanraking ontspant en in zijn armen begint ze met lange uithalen te huilen. Degenen die zijn afgewezen blijven kalm. Zwijgend zoeken ze hun bezittingen bijeen en verdwijnen tussen de coulissen. De vrouw van een ouder echtpaar moet ondersteund worden. Haar echtgenoot kijkt nog even om en knikt naar Lemmy ten afscheid. Over Rosa's schouder staren de mannen elkaar aan. Waarom zou ik de plaats innemen van iemand die dit als zijn laatste strohalm zag? denkt Lemmy. Even is hij bang dat hij moet braken, zo kolkt de weerzin door zijn maag. Wat hij ervoor over zou hebben nu zijn vrijheid te kiezen, zijn eigen verantwoordelijkheid te nemen en zijn plek af te staan aan die onbekende!

Maar Rosa snikt en slikt en heeft een zakdoek nodig, want ze moeten hun zaken gaan afhandelen, snel snel, voordat iemand zich bedenkt. Lemmy knikt nog naar de oude man. Die lacht vriendelijk en leidt zijn vrouw van het toneel.

'Mensen plezieren,' zei Mazeppa destijds en haalde haar schouders op, 'dat is alles.' Voordat ze haar borsten in hun glitterende houder borg hield zij ze altijd even in de palm van haar hand, alsof zij ze nog één keer wegen wou of wiegen. 'Hoe bitter moet je zijn om daar iets lelijks in te zien?' Ze keerde Lemmy haar rug toe zodat hij de sluiting dicht kon haken. Braaf sloeg hij daarna zijn handen voor zijn ogen, zoals ze dat eens hadden afgesproken. Voor de vorm. Ze moet hebben geweten dat hij altijd door zijn vingers gluurde, maar ze werd nu eenmaal liever bekeken dan alleen gelaten.

'Dacht je dat het iets uitzonderlijks was, wat wij moeten doen, jij en ik?' Ze stapte uit haar onderrok en stroopte haar broekje af, zette een voet op de wastafel en draaide de kraan open. 'Dacht je dat andere mensen niet de hele dag bezig waren om maar in de smaak te vallen?' Handenvol water schepte ze, dat tegen haar onderlichaam opspatte. vanaf haar lies rolden druppels langs haar standbeen, haastig langs de dij, dan lager trager. Over de ronding van haar kuit dropen ze, steeds kleiner tot de hiel. 'Dacht je dat er ook maar één mens bestaat die niet van alles moet verloochenen om maar te voelen dat hij voor een ander misschien van nut kan zijn, dacht je dat soms?'

Als ze hierop een antwoord verwachtte had ze pech.

Lemmy's hersens waren vacuüm gezogen door alle bloed dat in één ruk naar zijn lendenen was gestroomd. Daar pompte het rond op het ritme van Mazeppa's billen, die zachtjes meedeinden met de hand die daartussen heen en weer begon te wrijven. Af en toe verschenen de toppen van haar vingers tussen de haartjes, die nat geworden samenkleefden en na het wassen nog even overeind bleven staan, in een pluim bijeen gedraaid als kleine zwarte schoven op een pas gemaaide heuvel.

'Elke dag slikken ze dingen waarvan ze weten dat ze die niet zouden moeten pikken; kinderen van hun moeder, vrouwen van hun man, mannen van hun baas. Ze zouden willen protesteren, maar dat durven ze niet, ben je gek, ze zijn als de dood het laatste beetje genegenheid te verspelen. Dus laten ze over zich heen lopen. Alles om d'r bij te mogen horen. Ze doen zichzelf tekort. In gezinnen, op kantoor, vrienden onder elkaar – vriendschap betekent voor iedereen iets anders.' Ze draaide de kraan dicht, pakte een linnen handdoek en droogde zich af. 'Zo weinig houden ze van zichzelf dat ze zich niet kunnen voorstellen dat een ander ze wél aardig zou kunnen vinden, zomaar, om henzelf, om niets meer dan wat ze van nature te bieden hebben. Dus laten ze zich zien zoals ze denken dat ze in de smaak vallen. Ze geven een voorstelling van zichzelf. Elke dag opnieuw. Zo houden ze zich klein. Het doet ze verdriet en toch laten ze het gebeuren.'

Ze kneep een paar maal in de rode rubberen bol van de parfumverstuiver. Over haar hele lichaam glansden fijne druppels rozenwater. Ze trok haar directoire aan, die was afgezet met gouden roesjes. Wanneer ze tijdens haar optreden haar heupen schudde op het ritme van de bongo trilde de stof wijduit wapperend omhoog en leek het in het licht alsof je er dwars doorheen zag.

'Jij en ik, Lemmy, wij doen ons tenminste niet anders voor dan we zijn. Als wij ons laten zien, laten we ons zien zoals we zijn geboren. Daar hebben we zelf de hand niet in gehad dus daar is niets schandelijks aan, en wanneer mensen daaraan plezier beleven, laat ze. Willen ze er nog voor betalen ook, dan is het helemaal mooi.'

Het orkest zette haar nummer al in. Ze schoot haar hoge hakken aan. In de spiegel controleerde ze haar make-up en veegde met duim en middelvinger wat uitgelopen lipstick uit haar mondhoeken.

'Maar op een dag,' zei Lemmy en hij haalde zijn handen voor zijn gezicht vandaan, 'als ik nou op een dag gewoon de moed eens niet meer kan opbrengen?'

Ze werd aangekondigd. De drum roffelde. Mazeppa trok nog snel de riempjes van haar schoenen strak over de hiel.

'Geloof me Lemmy, er is maar één ding erger dan je gebruikt voelen...' ze drukte haar handpalm tegen haar middenrif en ademde een keer diep in en uit '...je óngebruikt voelen.'

Met een ruk opende ze de gordijnen die haar kleedruimte scheidden van het toneel, en stapte in het licht. Mannen begonnen te joelen.

De wagen die Rosa en Lemmy met de andere gelukkigen aan het eind van de middag naar de kust moet rijden staat klaar voor het theater. Het is niet meer dan een laadbak met een zeil erover. Het impresariaat verontschuldigt zich en wijt het aan de politieke ontwikkelingen en de onverwachte vaart die daardoor achter hun uittocht moet worden gezet, maar vanaf Dover zullen ze alleen nog taxi's en limousines zien, wordt hun beloofd, zoals het variétésterren betaamt. Ze lachen. De lijst met de optredens die voor hen in Engeland gepland staan wordt uitgedeeld, badplaatsen voornamelijk en af en toe een streekfestival. Om de samenwerking te vieren wordt er een flesje riesling ontkurkt, en het kostuumontwerp komt op tafel. In één scène draagt iedereen schattige dierenpakken, met kop en al, in een andere vilten kaboutermutsen. Ze heffen het glas en proosten met elkaar, maar Rosa durft Lemmy niet aan te kijken. Er wordt hun nog eens op het hart gedrukt dat hun uitreis zonder problemen zal verlopen, maar alleen voor degenen die zich om klokslag vijf voor het theater verzameld hebben. Er wordt niet gewacht en niemand mag meer dan één koffer bij zich hebben.

'Eén hele koffer?' grapt iemand. 'Daar kan ik mijn familie mooi in meenemen.'

Ergens moet een schakelaar zitten, denkt Lemmy bij zichzelf, haal hem over en een miljoen lampjes beginnen te branden. Er is een openingstijd en een sluitingstijd, dat is alles.

Frau Moncau weet niet of ze lachen moet of huilen. Terwijl Lemmy en Rosa inpakken en hun kamer leegruimen loopt zij in en uit met brood en worst voor onderweg, twee beugelflessen bier, een blik melk en allerlei prulletjes, een handspiegel, een gesigneerde foto uit haar hoogtijdagen en de veren boa, waarvan ze wil dat zij die meenemen als aandenken aan haar gastvrijheid. Al die tijd neuriet ze 'Adieu mein kleiner Gardeoffizier'.

'Het is onze enige kans,' zegt Rosa als ze even met Lemmy alleen is. 'Ik begrijp dat je er niet gelukkig mee kunt zijn, maar ik hoop dat je het me nooit kwalijk zult nemen.'

In een uur is alles gepiept. Nog twee uur te gaan voor ze bij de vrachtwagen moeten verzamelen. Ze zouden in alle rust nog koffie kunnen drinken, maar ze zijn bang dat het uitstel Frau Moncau te veel wordt. Ze dragen hun koffers naar beneden en lopen de straat uit naar de halte van de omnibus. Terwijl ze daar zitten te wachten pakt Lemmy Rosa beet, zomaar, drukt haar tegen zich aan en overlaadt haar met kussen. Ze lacht. Ze denkt dat hij haar in de maling neemt. Als de bus komt helpt hij haar instappen en tilt de koffers op de treeplank. Verder ontfermt de conducteur zich erover.

'Gaat u ook mee?' vraagt hij omdat Lemmy op de stoep blijft staan zonder aanstalten te maken in te stappen. Rosa tikt tegen het raam en wenkt.

'Ga maar vast,' roept hij. De chauffeur geeft gas. Lemmy doet een stap terug. Rosa's verschrikte gezicht. Als hij iets niet wil is het haar iets kwalijk nemen. Ze probeert het raampje open te schuiven, klimt op de bank en steekt haar hoofd naar buiten.

'Ik loop liever!' schreeuwt hij nog en hij zwaait met twee armen boven zijn hoofd. 'Ga maar. Tijd genoeg. Ik loop!'

*

Dus hij loopt. De straat uit, de brug over, de buitenwijken in. En al die tijd kijkt hij niet één keer op of neer. Er zijn zo

86

veel perspectieven van waaruit je de wereld kunt bekijken, maar waarom zou je? Achter iedere hoek die hij omslaat, liggen de verhoudingen weer anders. Elke keer opnieuw moet hij ze inschatten, zich daaraan aanpassen en aan zichzelf tornen. Als je mouwen te kort zijn, hak je dan je handen af? Hem zie je alleen nog met de blik vooruit. Op die manier zal hij de wereld vermaken. Wanneer je niet meer naar de grond kijkt en niet naar het plafond, zou het er dan nog veel toe doen hoe ver je daarvandaan bent? Door de plantage loopt hij, onder het spoor door langs de dierentuin. Vaag voert de wind vrolijke muziek mee. Een schoolklas komt hem tegemoet. Hij steekt over. In het gelid volgen de kinderen hun juffrouw, die hen tot twee keer toe tot stilte maant. Van de weeromstuit laat een meisje het touwtje van haar ballon schieten en zet het op een huilen. Aan de overzijde van het grasveld liggen de weelderige tuinen van het biologisch instituut. De lage zon weerkaatst gemeen tegen de ruiten van de vlinderkas. Uit het hoofdgebouw komen zusters en jonge studenten. Ze knopen hun witte jas open en stappen op hun fiets. Hun werkdag zit erop. Het is vijf uur. De schaduwen zijn lang. Hij houdt de vaart erin. Wil hij nog op tijd zijn, dan zal hij zich moeten haasten. Arme Rosa, wees niet ongerust! Waarom zou een zinnig mens van twee mogelijke oplossingen uitgerekend de meest akelige geloven?

De blik voorgoed vooruit. Zo stelt hij zich voor. Voorbij het universiteitsterrein de bossen in. Zijn voeten raken het hart van de aarde. Hij stoot zijn hoofd tegen de zon. En nu eens zien hoe de wereld zich tot hem verhoudt.

Nawoord

Bij het leegruimen van mijn ouderlijk huis vond ik drie briefkaarten die in de jaren dertig aan mijn vader waren verstuurd vanuit Märchenstadt Lilliput. Ze droegen het poststempel van die stad, met op de keerzijde een afbeelding van de bewoners voor hun huizen op hun straten en pleinen. Na enig onderzoek bleek dat kort voor de Tweede Wereldoorlog talloze van dergelijke dwergdorpen als bezienswaardigheid door Europa trokken. Alleen al hier leefden eenenzeventig impresario's van de handel in kleine mensen, van wie sommigen uit vrije wil als vermaak dienden, anderen door hun ouders voor dit doel waren verkocht. Op zoek naar levensverhalen, die soms de halve globe overspanden, bleek dat het leven van kleine artiesten ten tijde van het Derde Rijk niet altijd eindigde zoals men zou vrezen. Zo is de familie Ovitz voor zover bekend de enige familie waarvan alle leden de gruwelen van Auschwitz hebben overleefd, juist omdát zij als kleine mensen optraden, een fenomeen waarvoor Mengele een morbide fascinatie had ontwikkeld.

De meeste personages uit dit verhaal zijn verzonnen, maar de omstandigheden waaronder kleine mensen hebben geleefd en werden tentoongesteld – soms ook na hun dood –, en de keuzes waarmee ze werden geconfronteerd tijdens hun optredende bestaan en ten tijde van het Derde Rijk, zijn zoveel mogelijk ontleend aan de werkelijkheid. Dreamland en Lilliputia hebben bestaan zoals beschreven, evenals de rondtrekkende kleine gezelschappen en miniatuursteden, waarvan de laatste, in de buurt van Frankfurt, nog tot na 1980 bezoekers trok.

Ik ben Anneke van Santen en de leden van de Belangen Vereniging van Kleine Mensen bijzonder dankbaar voor hun openheid, verhalen en adviezen, en voor het vertrouwen dat zij toonden door mij in hun midden toe te laten. Dank ben ik ook verschuldigd aan Bert Sliggers van het Teylers Museum, aan Rieke Vreman en David Drummond, *bookseller & ephemerist* in Cecil Court, aan Benjamin Moser, Lex Jansen en Coen Peppelenbos voor het meelezen, en aan Peter Nijssen voor zijn scherpe blik en goede raad.

Van de werken waaruit ik heb geput ter oriëntatie, onderzoek en inspiratie noem ik graag *De wereld op kruishoogte* door Anna M. Van Santen; *Im Herzen waren wir Riesen, die Überlebensgeschichte einer Lilliputanerfamilie* door Yehuda Koren en Eilat Negev; *The Little People* door Hy Roth en Robert Cromie; *The Kid of Coney Island* door Woody Register; *New York* door Ric Burns en James Sanders; *Wondermensen* van Marc Schoorl; *Fians, fairies and picts* van David Mac Ritchie; en natuurlijk *Gulliver's Travels* van Jonathan Swift.

De foto op het omslag toont Semon en Sonia, die na 1940 groot succes oogstten in een Britse lilliputrevue.

Boeken van Arthur Japin bij De Arbeiderspers:

Magonische verhalen (1996)
De zwarte met het witte hart (roman, 1997)
De vierde wand (verhalen, 1998)
Magonia (verhalen en filmscenario, 2001)
De droom van de leeuw (roman, 2002)
De vrouwen van Lemnos (choreografisch scenario, 2002)
Een schitterend gebrek (roman, 2003)
Alle verhalen (2005)
De klank van sneeuw (twee novellen, 2006)

Bezoek ook de website www.arthurjapin.nl

Ter gelegenheid van de Boekenweek 2006 is de
Boekenweektest 2006 verschenen. Deze uitgave is gewijd
aan Arthur Japin en zijn werk. De Boekenweektest is
het Boekenweekcadeautje van de Openbare Bibliotheek,
exclusief voor haar leden. Alleen verkrijgbaar tijdens de
Boekenweek.

Zie ook www.boekenweek.nl

Copyright © 2006 Arthur Japin
Productie: Uitgeverij De Arbeiderspers,
Amsterdam/Antwerpen
Zetwerk: Perfect Service, Schoonhoven
Druk- en bindwerk: Koninklijke Wöhrmann, Zutphen
Omslagontwerp: Nico Richter

NUR 301
ISBN 90 5965 027 1

Dit boek is gedrukt op 100% chloorvrij
geproduceerd papier.